SALSA

Clara Obligado

Clara Obligado

SALSA

entreambos
Barcelona

Salsa
Clara Obligado

Primera edición: mayo de 2018

Diseño de la cubierta: Jordi Oms
Imagen de la cubierta: Idea y escenografía de © Julieta & Grekoff, 2018
De la fotografía: © Manolo Yllera, 2018

Trafalgar, 10, 2n – 08010 Barcelona
correo@entreambos.com
www.entreambos.com

Impreso y encuadernado en Romanyà-Valls
ISBN: 978-84-16379-12-5
Depósito legal: B. 9.047-2018

A mi hermana María

El hombre que siente que su patria es dulce todavía es un tierno principiante. El que piensa que toda tierra es como la suya, ya es fuerte. Pero verdaderamente libre es aquel para quien todo el mundo es una tierra extraña.

HUGO DE SAN VÍCTOR (SIGLO XII)

* Uno dos tres, hombro, uno dos tres, cadera, uno dos, siga el ritmo, empuje ¡ya! «Empuje, señora, está llegando, no falta nada, venga, ¡ya!» Ritmo en los hombros, miel en la boca y en las caderas se engancha el son, anda mulata, que ya es muy tarde, suave, muchacha, que bailas bien. Cierra los ojos, tiembla y se agita, que siga el baile, no puede más. No está bailando, está de parto, son recuerdos que vienen y van. ¿A quién se le ocurre dar a luz en Madrid en pleno mes de agosto? ¡Y con este calor! «Ya viene, ¡ya viene el niño!» *Ya viene el negro, zumbón, cantando el negro bahión...* Upa, mi negra, gime y respira, gime y respira. «¡Retenga el aire, empuje!, ¡ya!» Venga, los hombros, caderas, hombros, ¡ritmo, mulata, que está llegando, azúcar, clavo, canela y ron! ¡Que siga el son! ¿Qué hacen reunidos entre sus piernas? «Vamos, Gloria, un poco más.» ¡No puedo! Julio de verde, con mascarilla, y ese revoloteo allí abajo «¡Ya viene!» *Cha-cha-chá, qué rico el cha-cha-chá*, su madre en la cocina, la fuente en alto, meneando las ancas, ajustándose el delantal, Gloria, hay que concentrarse, deja de recordar a tu madre, no es momento. Es muy fácil, solo tienes que jadear y empujar, jadear y empujar: obedece. «Eso es, muy bien, Gloria, eso es», dice el médico, y Gloria piensa: negra, mueve las caderas, la mano en la cintura, ¡a gozar! Arriba y abajo, arriba y abajo. «¡No vamos a estar aquí toda la tarde!» «Falta poco, Gloria», insiste Julio, «falta poco, mi vida, un esfuer-

zo más.» Poco para que termine la música, para que la sala se quede desierta, para que se apague el reflector y la dejen en paz. Descansar, descansar, dormir durante tres días, la cabeza, qué alivio. «¡Ya sale la cabeza!» Ve todo negro, negro, está a punto de desmayarse...

—¡Es blanco!

—¿Qué has dicho?

Gloria, que ha cerrado los ojos, no responde; Julio observa dubitativo a su mujer, mira al médico que se aleja con la criatura en brazos. Ese hombre ha tenido con Gloria un contacto íntimo, ha hurgado dentro de ella hasta arrancarle una vida y ni siquiera le da la enhorabuena. Una vez terminado su trabajo de recolectar se lava las manos y, dentro de unos pocos segundos, no distinguirá su rostro del de tantos otros padres cuya simiente se ocupa de cosechar.

Ya en la habitación, insiste:

—Gloria, ¿por qué has gritado: «es blanco»?

—No he gritado nada.

—Sí que has gritado. Es blanco, eso dijiste, clarísimo.

—Déjame dormir. Has preguntado lo mismo veinte veces. Vete a ver al niño. ¿No es precioso? ¿Por qué se lo llevan?

—Lo van a bañar.

—Llama a mis amigas.

—Descansa.

—La clase, la clase de salsa, hoy no podré..., es viernes.

—Claro que no podrás ir a bailar. Deliras...

Gloria cierra los ojos e intenta que todo desaparezca. No quiere escucharlo; la han licuado, batido, triturado. Cuando entró en la clínica era un bello dirigible, un planeta que giraba y giraba. Ahora alguien ha abierto la espita dejándola deshinchada como un paracaídas tendido en el campo.

Sobre las sábanas impolutas asoman dos manos. No le parecen las suyas, son demasiado pálidas, afiladas, y tiene la extraña sensación de que alguien las ha puesto allí para que las reconozca. No quiere que le repartan manos sino que le devuelvan al niño. Es verdad, está agotada, solo piensa disparates. Caricias en el pelo, la respiración cada vez más lenta, no tiene que dejarse ir sin decirlo:

—Julio —susurra—, Julio, el niño se parece mucho a ti.

Antes de dormirse, una última súplica:

—Déjame el móvil.

* Cuando Gloria se quedó dormida, Julio aprovechó para salir del calor de la clínica a las aceras desiertas. Aunque aún no era de noche, el cielo, a causa de las luces de la ciudad, parecía pintado de un lila sucio que poco a poco se desleía en gris. Le faltaba el aire. Se detuvo en una esquina y comenzó a respirar hondo; entre las calles arboladas se oía algún televisor. Llevaba horas encerrado en la clínica, nervioso, y ahora debería permanecer en esa habitación pequeña, atestada de olores: la pesadez de las flores, el aroma denso que emanaba el cuerpo de Gloria, mezcla de medicamentos, leche, perfume del bebé y los efluvios de una colonia con olor a gardenias que ella nunca había usado y que parecía haberse adherido para siempre a su cabellera rubia.

A estas horas Julio solo deseaba meterse en un bar y beber hasta perder la conciencia, pero todo estaba cerrado por vacaciones. Además, tenía que esperar a que viniesen ellos. Ya les había avisado que el niño había nacido, y uno de los dos —a saber cuál, porque tenían la voz idéntica— le había respondido lacónicamente que fuese puntual. Eran apenas las nueve y veinte.

Podría haberse marchado a casa, podría haber quedado con los dos hombres lejos de la clínica, hasta hubiese sido prudente alejarlos de allí. Pero Gloria le rogó que regresase pronto y él, con el tirón del entusiasmo, le había jurado que se quedaría con ella esa noche y todas las que hiciera falta.

—Puedo dormir en ese sillón.

Lo dijo de pronto, pero luego se había arrepentido. En los hospitales se trata a los sanos como si quisieran succionarles la vitalidad, arrebatarles la salud: ni camas, ni baños en condiciones, ni comida. Pero no era capaz de alejarse del niño o de Gloria; quería permanecer entre ellos dos, acercándose a la cama, pidiendo una caricia como un perro manso, como un mendigo, vagando entre sentimientos contrapuestos de exclusión y de felicidad.

Ahora, mientras pasea con las manos en los bolsillos, mientras espera, comprende que ya nada será igual. Estaba esa exclamación de Gloria que lo rondaba como una mala idea, como un enjambre: ¡es blanco! Porque lo había dicho, sí, con toda claridad, aunque lo negase. ¿Qué es lo que Gloria sabía? Julio miró el reloj pensando que ellos se retrasaban, pero solo habían pasado cinco minutos.

Le hubiera gustado tomar un taxi y huir del hospital, de la cita, de la espera, le hubiese gustado ir a ver a Jamaica a su local. Podría beber algo y hablar, hablar hasta agotarse, soltar por fin ese saco de angustia que llevaba a sus espaldas desde hacía meses. Qué importancia tenía allí, en medio de la música, lo que susurraba un borracho, sus quejas o delirios, quién podría escucharlo entre la percusión atronadora, a quién le importaría lo que estaba diciendo. Pero era pronto para Jamaica, quien no solía aparecer hasta medianoche. Además, allí todos conocían a Gloria. Ella, hasta pocas semanas antes del parto, había acudido sistemáticamente a Los Bongoseros de Bratislava, y si se enteraba de que invadía sus dominios o, peor aún, si llegaba a sospechar la historia que lo unía a Jamaica, no se lo perdonaría jamás. Para qué enredar más las cosas, pensó Julio, mientras volvía a mirar la hora: eran las diez menos cinco.

Por la calle desierta un coche pasó lentamente, dejando escapar desde la ventanilla una música ensordecedora. Dentro, cuatro jóvenes gritaban y reían. No, no eran ellos. Al verlos, Julio sintió nostalgia. Ayer, prácticamente ayer, él hacía cosas como esa. Las vacaciones, la irresponsabilidad, ese reír despreocupado.

Mientras paseaba con las manos en los bolsillos percibió cómo sus pasos le marcaban el ritmo al corazón. Pronto debería regresar, si no deseaba preocupar a Gloria, alertarla; la había dejado sola con el niño, entre desconocidos.

Siguió caminando, dando vueltas a la manzana, mordisqueándose los bigotes mientras una duda rondaba, tomaba cuerpo, se formulaba al fin:

—¿Dónde terminará esto?

A lo lejos, el aullido crispante de una sirena encendió el crepúsculo, se fue acercando más y más para alejarse al fin con su grito amarillo de peligro.

De pronto, al final de la calle, en el crepúsculo, se dibujó la silueta de los dos mulatos. Eran altos y jóvenes y parecían idénticos, deportivas blancas, vaqueros y camisas con papagayos. Al verlos avanzar Julio se atusó los bigotes mientras intuía, en esos andares elásticos, músculos vibrantes, fuerza y velocidad. Sintió un pinchazo en la nuca: estaba tenso.

* Mientras tanto, en la clínica, Gloria emergió entre las sábanas y, al ver que no había moros en la costa, aprovechando la ausencia de Julio, pulsó un número en el móvil. La llamada atravesó Madrid, bajó las escaleras de Azca, se metió por el aparcamiento, abrió la puerta de Los Bongoseros de Bratislava y, por fin, sonó tras la barra del bar que regentaba Jamaica Bronx. Jamaica, que estaba lustrando las botellas, se lanzó contra una repisa del bar, atrapó el aparato y lo pegó a su oído.

—Es blanco —dijo la voz susurrante de Gloria.

Y Jamaica respondió:

—Menos mal. ¿Y Julio?, ¿qué ha dicho?, ¿sospecha algo?

—Creo que no. Ha salido a tomar el aire.

Jamaica colgó. Había esperado la llamada durante horas haciendo como que limpiaba y, mientras sacaba brillo a otra botella, pensó en Gloria, en su voz, apoyada contra la barra pareció reflexionar; luego se levantó las faldas casi hasta la cintura para tensar las medias con el liguero.

—Demonios, no me he puesto bragas.

En fin, qué importa, hace calor. Se miró en un espejo de perfil, hundiendo el vientre. No, no estaba nada mal para su edad: bailar salsa le había proporcionado una elasticidad envidiable, los muslos de una jovencita. Tenía la mente en blanco. Recorrió con la vista la sala, las paredes repintadas de verde fluorescente cubiertas por una selva de palmeras en pleno corazón de Madrid. Escondido entre las botellas había un retrato de Thais, cuando era aún una niña sonriente. Jamaica dibujó la imagen de su hija con un dedo, queriendo recuperar esos rasgos infantiles, pero le resultó imposible. Era absurdo que le hubiese tocado una hija como Thais. Guapa sí que era, y eso se lo debía a su madre, pero nada más, ningún otro gen de Jamaica parecía haberse instalado en aquella anatomía angulosa y perfecta. Ni el tesón profesional ni, menos aún, el desdén puritano con el que lo juzgaba todo tenían nada que ver con ella. Thais era rígida como un inquisidor, seca como el esparto y más cotilla que una urraca. Lo de cotilla era llevadero y demostraba que, en algún lugar de ese bello envoltorio, había un atisbo de interés por el prójimo. Volvió a colocar el retrato. No, de ninguna manera debía enterarse de lo que estaba sucediendo o empezaría a escupir reproches con la velocidad de una ametralladora. De todas formas, ni siquiera conocía a Gloria.

En Madrid, durante el crepúsculo, brilla aún el asfixiante resplandor del verano, pero dentro de Los Bongoseros de Bratislava permanece encerrada la noche. Tiene muchas horas por delante.

Jamaica se acerca a la caja registradora, la abre con un alegre clinc, retira la bandejilla vacía, mete la mano hasta el fondo y saca un fajo de sobres sujetos por una goma. Despliega la última carta y vuelve a apoyar las potentes caderas en la butaca mientras relee el sorprendente texto. Sin separar los ojos del papel se sirve un trago de ron, otro, y ya más serena, devuelve el papel a su sobre, decide olvidar, esconderse en la penumbra del local, esperar a que lleguen los parroquianos. Aún tiene que hacer dos llamadas.

Mira el reloj. No es tarde ni temprano, sino un paréntesis vacío, un fragmento de nada. Tendrá que prescindir de su baño de inmersión y permanecer allí hasta que cierre. No hay prisa, llamará más tarde, lo que necesita es relajarse. Así que el niño nació blanco, se dice. Mejor que mejor.

Se pone de pie. Es muy alta, de hombros anchos, formas redondeadas y piernas largas. El pelo, bermellón, le cae más abajo de los hombros en una cascada de rizos artificiales. Mete las manos en los bolsillos y, bamboleando las caderas, enciende las luces de la pista; una bola de espejos gira en lo alto repartiendo luz sobre las palmeras, los rincones robados por la sombra, espejea en los cristales de las botellas, explota iluminando los blancos como si fuesen radiografías que desvelaran la oscuridad de los huesos, los papeles tirados en el suelo, el destello de la sonrisa de Jamaica, el ron que se agita como un pequeño mar transparente, el cinturón de cuero blanco, las sandalias con altísimos tacones de metacrilato azul.

Con la bayeta en la mano comienza a menearse, a girar, a sacudir los hombros, a reírse a carcajadas haciendo reventar como un globo la tensión del día, liberándose por fin mientras grita sin que nadie la oiga: ¡blanco, es blanco!, y se abandona, sacudiendo las caderas, el pelo bermellón cubriéndole el rostro, dibujándole el perfil, penetrada por la música que la ahoga en un torbellino de olvido y de fiebre, blanda, loca, libre, al ritmo de la salsa.

* —Mi madre siempre hace lo mismo —rezongó Thais—. Aunque prometió darse un baño antes de abrir, ya no regresará hasta la madrugada; luego se queja porque no me voy de casa. ¿Y quién cuidaría de ella?

Desde un sillón, mientras escucha música, Alexis sonríe, abre sus grandes ojos oscuros y señala los cascos que le impiden oírla. Thais le da la espalda, aparta las cortinas con impaciencia, se asoma al balcón. La calle, calurosa y desierta, deja ver un sol último, prolongado artificialmente por el cambio de hora. Frente a la ventana hay un árbol, el único superviviente de una plantación indiscriminada. Ajeno a la bárbara dureza del asfalto, un cerezo solitario tiende su ligera red de sombra sobre la acera haciendo flotar a lo largo de la calle su aire rural; un avión invisible surca el cielo con el zumbido de un contrabajo. Thais lo busca entre las nubes y siente un intenso deseo de volar.

Entra en la cocina donde se acumulan los cacharros. Alexis ha comido como una boa y, como siempre, no se ha molestado en recoger; Thais se anuda el mandil a la cintura. ¿Cómo vivirá Alexis en Grecia? ¿Tendrá un serrallo? ¿Una madre superprotectora? ¿Un escuadrón de hermanas? Lleva cuatro meses en Madrid sin pegar golpe, repartiendo sonrisas como un bobo y no parece tener la menor intención de marcharse.

—¡Que te vayas a tu casa, oyes, que regreses a Grecia, estoy harta de ti!

El griego la mira, sonríe, alza los hombros, cierra los ojos y marca el compás sobre la alfombra con un pie descalzo.

Desde la puerta de la cocina, con un plato mojado entre las manos, Thais lo estudia, se acerca un poco aprovechando su sordera, están tan próximos que siente su respiración acompasada. Debe de ser algo más joven que ella y así, adormilado, tiene un aspecto magnífico; si se trepa por el camino que va desde el pie perfecto, grande y nudoso, asoman los tobillos bronceados, el nacimiento de unos músculos largos y elásticos; el pantalón, que lleva remangado, es caro y se pliega en las corvas adhiriéndose a las rodillas. Allí donde el blancor de la tela solo sugiere, los muslos fuertes atraen la mirada hacia la rectitud de las ancas, los secretos de las ingles...

—Basta —se reprime Thais—, basta.

Como si la hubiese oído, Alexis se remueve, abre los ojos, la estudia, sonríe, baja la vista hacia el plato que todavía sostiene entre las manos, sonríe con más entusiasmo aún. Sin dejar de mirarla toma la lata de cerveza que está sobre la alfombra, se la ofrece a la muchacha; ella, hipnotizada, sacude la cabeza con una negativa mientras ve cómo Alexis bebe el líquido espumoso y fresco hasta que sus labios quedan brillantes. Va a acercarse, pero Alexis deja caer las pobladas pestañas y vuelve a adormilarse. Thais retrocede, continúa evaluándolo. En esa posición relajada, con las manos rodeando la lata y el pelo ensortijado, parece un dios mediterráneo. Es hermoso, demasiado para convivir con él en el más casto de los planes, demasiado para escuchar desde la cama donde Thais duerme solitaria cómo la casa palpita con su respiración, demasiado atractivo, en fin, para impedir que aniden en ella sueños inconfesables. Sobre todo con la vida de anacoreta que lleva últimamente.

En las buenas épocas su lema era «poco sexo, pero de calidad». Ahora, trabajando veintiocho horas al día, no podría siquiera describir cómo era aquello. Las cosas que no se practican terminan olvidándose, y lo único que recuerda Thais es que, junto con su último ascenso, su jefe le había dicho:

—Enhorabuena, Thais, te lo mereces. Pero desde ahora debes tener disponibilidad absoluta. ¿Entiendes lo que quiero decir? —Luego silabeó, como si fuese sorda—: Ab-so-lu-ta. ¿De acuerdo?

—Por supuesto —respondió ofendida. Estaba harta de los aires paternales que adoptaban sus superiores cuando se dirigían a ella. Meses más tarde tuvo que reconocer que había tomado a la ligera su nueva situación.

Así y todo, no estaba arrepentida. No es que fuese una entusiasta del género masculino, no; había muchas cosas que incluía en su lista de prioridades antes que los hombres y la mayoría de ellos era, simplemente, un incordio. Pero, al fin y al cabo, a veces le hacían falta.

Dejó los cacharros sin fregar, entró en su cuarto de baño, se dispuso a darse una ducha y restregarse con un guante de crin que arrancaría de su piel esas adherencias, esas tentaciones que se le pegoteaban como sanguijuelas. No, no podía permitírselo. Debía acostarse pronto, mañana tenía que viajar.

Sin cerrar la puerta de su habitación comenzó por desabrocharse la camisa repasando mentalmente su agenda, las largas negociaciones que la esperaban, se descalzó, estaba bajándose la cremallera de la ajustadísima falda cuando recordó que allí seguía Alexis, en su misma línea de flotación, inmóvil, enchufado a la red, guapísimo, capaz de abrir en cualquier momento esos ojazos para descubrirla desnuda. Era tentador, en verdad, y tan a mano. Solo había que continuar, arrojando la ropa aquí y allá, sobre la silla, sobre el futón, sobre la alfombra; así, de espaldas, con aparente ingenuidad, un lento y caprichoso striptease y esperar, esperar a que él, tarde o temprano, saliese de su modorra. Nunca, en estos meses de convivencia, lo había tenido tan a tiro, nunca le había apetecido tanto. Con lo bien que le vendría relajarse. Nada de comprometer los sentimientos: aflojar la tensión, expandir los pulmones, estirar los músculos, las vértebras, liberarse de la agresividad acumulada durante semanas, durante meses, durante siglos. En fin, un buen polvo, nada más que eso, y mañana estaría como nueva.

Pero ¿cómo podía permitírselo, si era el novio de su madre?

* Bajo una montaña de papeles sonó el teléfono en casa de Marga, justo en el momento en que la única idea de la jornada impulsaba sus dedos sobre el teclado del ordenador, cuando «algo» imperceptible (un aleteo, una vibración en el aire, un contraerse sutil del diafragma) le indicó que la musa, por fin, estaba allí.

Siguió el pitido hasta encontrar el móvil y, al intentar rescatarlo, chocó contra algo y soltó una maldición. La llamada no era de Jamaica, sino para su hijo.

—Está en Londres. Sí, lo siento, regresará en noviembre.

Colgó. Estaba tan nerviosa que no tuvo más remedio que ir a buscar un pitillo. Los escondía y, si el síndrome de abstinencia la punzaba, tardaba horas en encontrarlos. La cajetilla, con esa malignidad propia de los objetos, se había sumergido bajo los almohadones del sillón rojo nuevo. Solo quedaba uno, debió de perderlo meses atrás.

Ah, qué delicia. Humo. Humo en vena. Nicotina, alquitrán, monóxido de carbono y no sé cuántos venenos más: ¡qué maravilla! Entrecerrando los ojos dio una calada abisal, pero el bálsamo no parecía llegar hasta sus pulmones. Observó el cigarro: el papel, agujereado, dejaba escapar una gozosa fumata de humo blanco: *habemus nicotinam!* Apretó con un dedo la herida del papel.

Sin quitarse el cigarrillo de los labios, sujetándolo como un cowboy, fue a sentarse sobre los cojines rojos, se quitó los zapatos, respiró más hondo aún para que el veneno penetrara hasta la médula, retuvo el aire, poseyendo por unos instantes más la dosis diaria, y una brasa se desprendió sobre su falda, dejando un perfecto círculo requemado.

—Mierda.

Otra vez el teléfono. ¿Dónde demonios estaba? Corrió descalza sobre la alfombra más o menos paquistaní y la pata de la mesilla nueva avanzó sobre su meñique; saltando a la pata coja, maldiciendo, volvió a chocar con la torre de papeles y esta vez sí, esta vez cayeron con su inocente vuelo blanco, chocó también con el puzle que estaba haciendo su hija que trepidó un instante y, frotándose el dedo dolorido, pudo oír la voz de Jamaica, ese tono de contralto adobado con tabaco y alcohol que vibraba en medio de la hecatombe.

—Blanco. El niño ha nacido bien y es blanco.

Hasta el suspicaz oído de Marga llegó una música. ¿Qué estaría haciendo Jamaica? ¿Bailando? ¿Fumando, bebiendo, ligando, como de costumbre, con hombres más jóvenes que ella?

La envidia cuajó en una nubecilla verde. Hizo un gesto para espantarla, desconectó el teléfono, se quedó embobada ante las imágenes incompletas del puzle: una ciudad, un trozo de cielo, el recuadro perfecto y vacío que anunciaba a saber qué.

Su hija podía quedarse horas frente al tablero, intentando una y otra vez que todo encajase. Era una niña peculiar: callada, inteligente y vegetariana. ¿Qué estaría pensando cuando la estudiaba con su carita seria? Un misterio, las niñas a esa edad son un misterio para sus madres. A veces le parecía que la sopesaba con unos ojos excesivamente adultos, los ojos de alguien muy viejo, una mirada de la que ya se habían borrado todas las sorpresas del mundo; entonces Marga se sentía inerme frente a su hija, quien, de pronto, recobraba su expresión indefensa. Con mucho cuidado retiró el puzle y lo puso en una esquina.

Marga volvió a sentarse. Jamaica, Jamaica Bronx. Qué bien bailaba Jamaica, qué bien lo hacía todo. Ni un michelín aunque ingiriera toneles de alcohol y se alimentara con patatas de bolsa. Ella, en cambio, tan patosa, intentando seguir el ritmo clase tras clase, moviéndose como si calzara zapatos dos números más grandes, entre los brazos del profesor, quien, por cierto, no estaba nada mal. Ni siquiera Gloria, a punto de parir, girando como una peonza, torpe y bobalicona, resultaba tan ridícula. Y ni siquiera Gloria, que hacía dos meses que no lograba verse los pies, conseguía evitar el fino anzuelo seductor que lanzaba sin dirección alguna Ulises, ese negrazo tremendo. Bueno, todo había pasado, el niño estaba en su cuna.

—Qué suerte, un niño.

Sonrió beatíficamente imaginando al recién nacido, pero una oleada de bilis sumergió la tierna imagen. ¿Suerte? Libérate, Marga, libérate: estás sola, di realmente lo que piensas.

Malditos. Malditos niños. No paraban de llegar al planeta, la alejaban cada vez más de su infancia. Ya habían nacido varios ejércitos de sustitutos, cohortes de seres gimoteantes cuya misión era tomar por asalto su espacio: alguien que asomó al mundo más tarde que ella había ocupado su banco en el colegio, su silla en la facultad, la esquina en la que se besaba con su novio, hasta peligraba su puesto de trabajo a causa de una de esas muchachas tontas, cuyo único mérito era haber nacido unos años más tarde y que, tarde o temprano, sería reemplazada, empujada por una sustituta que ya se estaba preparando para hacerlo. Niños, niños y más niños que asomaban sus caritas rojas al mundo intentando disimular que su verdadera misión era precipitar a sus predecesores al vacío donde todo termina.

—Basta. Estoy paranoica.

¡Blanco! ¿Y de qué color esperaba Jamaica que fuese el niño, si Julio era castaño y la misma Gloria, rubia hasta la transparencia? ¿Acaso debería haberle nacido un hijo negro solo porque bailaba salsa con Ulises, o pelirrojo y con pecas porque adoraba el zumo de tomate con pimienta? ¿O estaría insinuando que ella y el profesor de salsa...? ¿Gloria y Ulises? Tonterías. Gloria era incapaz de engañar a nadie y venía buscando un hijo desde hacía años. En realidad, lo había logrado cuando ya casi no le quedaba tiempo.

—Esa Jamaica tiene una imaginación formidable.

Se puso de pie, volvió a sentarse frente al ordenador; los dedos, con el bailoteo de dos inquietas arañas suspendidas en el espacio, se negaron a escribir. Los estiró y se quedó largo rato estudiándose las uñas, cuyas grandes lúnulas siempre le habían parecido bonitas y que, desde que había dejado (casi) de fumar, estaban mordisqueadas hasta la falange.

—No importa. Hoy regresa Viviana de Argentina y charlar con ella me relajará.

* Es ya casi de noche cuando Viviana llega a Madrid. Ha viajado durante casi veinte horas: de Buenos Aires a Montevideo, de Montevideo a Recife, de Recife a Dakar, de Dakar a Madrid. El taxista, al oír su acento extranjero, intenta cobrarle de más. Siempre le pasa lo mismo.

—Oiga, que vivo aquí desde hace años. Voy a pagar lo que corresponde.

Mal humor, cansancio, calor de boca de horno, atasco en la avenida de América, todo Madrid está en obras. El conductor intenta suavizar la situación, grita por encima del estrépito de las taladradoras:

—Haberlo dicho, mujer, haberlo dicho.

Está deshaciendo su maleta y preparándose un baño cuando la sobresalta el teléfono.

—Es blanco —dice una voz que surge de la nada.

—¿Blanco?

De pronto, los dos hemisferios de su cerebro actúan al unísono y hacen clic, es decir, comprenden, traducen, sitúan, detienen su mano que va a colgar, emiten la señal de peligro. Siempre le sucede cuando regresa: algunas neuronas se quedan en Buenos Aires y otras, congeladas en la nevera, la esperan para ser reutilizadas en Madrid.

—Viviana —repite la voz por el teléfono—, ¿pasa algo? ¡Te estoy diciendo que el niño es blanco!

«¿Sos Jamaica?», está a punto de preguntar, pero el radar le indica alerta roja, cambio inmediato de pronunciación, de tono, de léxico.

—¿Eres tú, Jamaica? —Y traduciendo siempre—. Perdóname (perdoname) estoy hecha polvo (reventada), además tengo el grifo abierto (la canilla) y te oigo fatal (como la mona).

Agotador, coño (mierda), tenía que serenarse (tranquilizarse) ya (de una buena vez).

—Luego (después) te llamo. ¿Qué hora es? ¿Tan tarde? ¿Y qué día? ¿Martes? Para mí, todavía lunes... Necesito dormir... No habrá clase de salsa, claro. ¿Sabes (sabés) algo de Marga? ¿Sigue tan deprimida? ¿Ha dejado (dejó) de fumar? En fin. ¿Estás en el bar? (frase idéntica en ambos registros, ¡qué descanso!). Vale, vale (claro, claro), ya hablaremos. Te llamo.

* Y recordar, y recordar. Siempre que Viviana llega a Barajas recuerda la primera vez, aconteció de noche y en invierno, lo sabe por la tristeza, por esa pena que siempre vuelve cuando regresa de Buenos Aires, recordar cómo le costaba

todo al principio, hasta el amor. Vivía en dos planos, en dos idiomas, aunque Viviana había pensado que era uno solo, que en Madrid todo sería más fácil. Pero no. Por ejemplo: meterse en la cama con alguien de Madrid ¿qué era? ¿Coger, follar, fornicar, joder? Coger, tan íntimo antes, tan incomprensible de este lado del Atlántico. Se coge el autobús, se coge a alguien desprevenido, se coge un resfriado. En la cama no se coge, Viviana, a ver si aprendés. En la cama se jode.

Quiero joderte, había dicho él, acompañando su reclamo con un vaho alcohólico, y había atrapado su mano que reptaba sobre el mármol de la mesa del bar intentando esconderse en el regazo. Jo-der-te. Ella cerró los ojos y tradujo: co-ger-te. Fatal. Le sonaba pésimo. Prefería la palabra follar. Pero follar, que a Viviana le sonaba pastoril, revolcarse sobre las hojas, vestirse de pastorcita Viviana, triscar, a sus partenaires les resultaba muy fuerte y lo de fornicar, un cultismo absurdo con ecos de confesonario, un fric-fric como de hormigas copulando (las formicas fornican en el fornicario): «Sí, padre, forniqué ayer también».

Ese no era más que el primer inconveniente. Más tarde vendrían las sorpresas en el momento menos indicado. «Correrse», por ejemplo. «Me voy a correr, Viviana, me voy a correr.» ¿Hacia dónde? ¿Justo ahora? (¿cómo, cómo se diría aquello en su castellano natal?). Ni que hablar de la polla y de la pollera. Para Viviana «polla», aquel mito masculino, aquel galardón, no era más que la lotería o una gallina pequeña, y correrse, quitarse de en medio, joder algo muy agresivo, y así sucesivamente.

En el vórtice de tal torbellino lingüístico, ¿quién es capaz de meterse en la cama con alguien? Todo nos une, pensó Viviana, todo menos el idioma.

* Vamos, vamos, se dijo Marga, déjate de bobadas, no puedes llamar ahora mismo a Viviana, déjala dormir al menos, acaba de llegar. Ya se te ocurrirá alguna idea.

Se miró los dedos, levantados sobre el teclado como los de un pianista dispuesto al ataque, y le volvió la voz de su psicoanalista en la última sesión: *Por qué no, Marga, por qué no va a poder. Vamos, anímese, sea positiva, quiérase un poco.* Deprimida, bajó las manos. No es suficiente. No es suficiente que La Voz repita siempre lo mismo a sus espaldas mientras se ¿lima las uñas?, ¿hace ganchillo?, ¿ha puesto en marcha una grabadora y está tomando un café en el bar de abajo? Ay, Marga, cómo eres. Las psicoanalistas no se escapan en medio de la sesión, por más que tú vuelvas y vuelvas sobre lo mismo. Es que estás representando el vacío, la nada, la página en blanco.

Quiere escribir y está bloqueada, debe llamar a Viviana. Viviana, como buena argentina, psicoanalizada hasta el líquido amniótico, silenciosa y amable, siempre observándola como tras un cristal. En fin, un buen oído donde colgar sus problemas.

De pronto, la culpa:

—Soy un monstruo, debe de estar muy cansada, ¿cómo puedo ser tan utilitaria?

Pero inmediatamente olvida, cierra los ojos, e imagina el libro que escribirá, sobre la mesa de novedades, ¿por qué no?, en la lista de los más vendidos. Tal vez si fuese un poco más joven..., con unos escotes más pronunciados..., si hiciese dieta... Pero ¿con qué demonios va a llenar doscientas páginas? De pronto, una idea: podría ser algo sobre mujeres, que está de moda. Sí, tal vez sobre mujeres con escotes pronunciados que bailan salsa a la perfección por la noche, que son unas lobas más tarde y auténticos tiburones por la mañana.

—No puedo contar eso. Parece un tratado de zoología.

Pero la idea es buena: a todo el mundo le gusta leer la historia de una chica guapa. La de una de esas pequeñas cretinas, por ejemplo, que en este momento está tramando quitarle ese puesto por el que ella peleó con uñas y dientes cuando las mujeres no llegaban a ninguna parte si no era abriéndose camino a tortazos y esa pánfila, sin arte ni parte, va y se lo sopla con un simple bamboleo de caderas.

No, no debes ser vengativa, Marga, contrólate. Respira hondo. Las historias de mujeres escritas por mujeres no se escriben para sacarles la piel a tiras. Tienen que tener corazón, Marga, sentimientos, y un poco de erotismo. Erotismo, sexo, ¿qué era eso?

Sexo, puaj, qué asco. Como para ternuras está. Hoy hace justo un año que su marido se largó. Digamos la verdad: que la plantó por otra más joven (ese sí que es un clásico, Marga, con esta historia se identificarán muchas cuarentonas, ese es el hilo de la madeja, adelante, sé valiente, tira de él, para qué destrozarte las neuronas: cuenta tu vida, que es un tópico con patas).

«Él era infeliz con esa bruja de cuarenta años con quien tuvo dos hijos que ella había cuidado mientras él se dedicaba a hacer su carrera sin colaborar ni por error en la casa porque, al pobre, lo habían educado así. De modo que, durante los diez primeros años de convivencia, tuvo que enseñarle todo y luego lo había apoyado cuando él se dedicó durante dos años a preparar oposiciones y por eso ella llegó a la profesión tarde y cansada, tuvo que correr como un galgo hasta caer rendida para encontrar un puesto que ahora una jovencita, una pequeña zorra, intenta...»

O:

«Samanta, una bellísima cuarentona de apenas cuarenta años...».

¿Qué es eso de una cuarentona de apenas cuarenta años? ¿Está desvariando? ¿Es la edad?

Abrió el cajón de la mesa buscando un clínex y, entre los pañuelos, encontró otro pitillo. Cuando sus pulmones recibieron la bocanada gris sintió que menguaban los instintos asesinos, que se le disolvía la bilis en un magma liviano y oloroso.

—Basta. Basta. Los fumadores somos gente inofensiva, al fin y al cabo nos tragamos con el humo lo que otros vomitan a la cara del prójimo.

Mientras el humo la nimbaba recordó a su marido. Se enfrentó con la pantalla del ordenador y creyó ver en ella a la muchacha con la que hacía un mes se había casado y comenzó a regañarla como si fuese su propia hija:

—Eres una tonta. Tú también llegarás a cuarentona y te tocará el papel de enfermera. ¿Te gustará llevar las maletas hasta el coche, hacer de secretaria y ama de llaves, te gustará empujar una silla de ruedas, cepillar la dentadura, buscarla bajo la cama?

Desde la pantalla, la imagen de una rubia bellísima sonríe alzando los hombros con un gesto irresponsable.

—Sí, ya lo sé, a los cuarenta te buscarás dos de veinte; yo tendré más de sesenta y, como soy idiota, terminaré cuidando de ese mal nacido solo porque, al fin y al cabo, soy la madre de sus hijos y no sé vivir sin un hombre.

¿No sabe vivir sin un hombre? Desalentada, apagó el ordenador.

¿Y si se decidiese, de una vez a hacerse un lifting?

* Después de hacer las dos llamadas, Jamaica desconectó el móvil. Había bebido sin probar bocado y en su estó-

mago alguien parecía estar jugando con cerillas encendidas.

La noche será aún más larga que la tarde de espera, lo comprende al masajearse las piernas doloridas, mientras oye cómo un agrio quejido rompe la membrana del silencio, anuncia que el encargado levanta el cierre de metal. Pronto entrarán las primeras parejas.

Distraída, observa los murales que decoran el local desde donde asoman palmeras y cocoteros y no la Cibeles, como hubiera sido lógico en Madrid, sino la estatua de la Libertad y, más abajo, los altos edificios de Manhattan, las estrellas amarillas de Nueva York, es decir, ese lejanísimo El Dorado de los inmigrantes, La Meca, una tierra de ensueño fantaseada por todos los latinos que noche tras noche sacudían las ancas, giraban al son de la salsa olvidando que mañana también carecerían de papeles y de trabajo. Si había suerte, pensaban los más optimistas, algún alma caritativa los ayudaría a fraguar un reborde de legalidad y, si no la había, esperarían bailando.

El local se llamaba, desde siempre, Los Bongoseros de Bratislava; se escondía en los bajos de Azca y su dueño anterior lo había vendido deprisa y barato, como si le quemase en las manos. Dejó los muebles, la música, la espantosa decoración de las paredes y un «buena suerte» en mal castellano, contó el dinero con una maleta a los pies y partió de estampida. Luego Jamaica supo que había nacido en Bratislava y que la hermandad socialista de aquellos años lo había llevado a Cuba, donde contraería una pasión frenética por el bongó. Era un checo con cuerpo de culturista que al llegar a Madrid había sido repartidor de butano, luego percusionista en una orquesta de salsa y, por fin, amante de una niña rica. Tan meteórica carrera no había culminado con éxito puesto que como repartidor de butano le faltaba sumisión, ritmo como bongosero y, como amante de la niña rica, olfato para no meterse en líos.

Así pues, Jamaica compró el local con su extraño nombre. Aunque no era lo óptimo, le alcanzaba el dinero; ya se ocuparía ella de que lo frecuentasen las personas apropiadas. Con el entusiasmo de una jovencita recomenzó, por enésima vez, su vida. Thais no aprobó la inversión, pero Thais nunca estaba de acuerdo con su madre.

En fin, ya había hablado con Marga y con Viviana, así que podía dedicarse a sus cosas. También había recibido una llamada de Julio, quien le confirmó que los gemelos habían asistido a la cita y que las cosas, de momento, marchaban relativamente bien.

—Habrá que alejarlos pronto de aquí —añadió nervioso—. Esto tiene que terminar, Jamaica, tiene que terminar. En mi vida me he visto metido en un asunto como este. Además, estoy seguro de que Gloria sospecha algo. Al ver al niño dijo algo extrañísimo...

—¿Qué dijo?

—«Es blanco», gritó, como si esperase que el niño fuese negro.

—¿Dijo «es blanco»? ¿Estás seguro? Habrás oído mal. —Luego Jamaica meneó la cabeza. Aquello no pintaba bien.

Julio no pudo ver su cara de preocupación, así que se quedó simplemente con las palabras, colgó más tranquilo y regresó al hospital. Jamaica, en cambio, seguía sacudiendo la cabeza cuando las primeras parejas irrumpieron en la sala. Abrió otra bolsa de patatas fritas y comenzó a comerlas abstraída.

Es martes y se abre tarde. Los viernes, en cambio, con la clase de salsa, el bar se llena pronto de jovencitas tímidas que se arraciman, de hombres solos agazapados en la penumbra, acodados en la barra, que estudian los últimos pasos de las muchachas antes de invitarlas a bailar. No es cuestión de clavarse con una estrecha, con una patosa, piensan ellos. Y ellas: cuidado con los moscones, con los pesados. Y los de aquí eligen a las caribeñas y las caribeñas a los de aquí, porque no solo se trata de girar y lucirse, sino también de pescar algo de lo que se carece: sensualidad, los blancos; los extranjeros, alguien que les haga menos duro el día a día, porque ellos son agradecidos y tienen mucho que ofrecer en el intercambio, y las muchachas caribeñas sueñan, por qué no, con un buen matrimonio que les solucione los papeles o, al menos, un novio que las invite a cenar. Nadie sale ganando o perdiendo si sabe elegir, si sabe no solo sopesar al otro sino también evaluarse a sí mismo, nadie resulta engañado si, en el intercambio, no pide más de lo que ofrece, si exprime cada roce al bailar, cada vuelta, cada paso, si sabe traducir lo que gritan, enfebrecidas, las caderas.

Jamaica, que observa las primeras parejas que se acercan con timidez a la pista, no percibe la llegada de Ulises. Hoy no tiene por qué venir, lo atrae la caza de noticias frescas. Gloria no puede y resulta impensable soportar una espera tan larga. Desde este martes al próximo viernes se abren para Ulises montañas y precipicios, ríos turbulentos, peligrosas cascadas, es decir, un camino demasiado incierto que puede evitar si hace una pregunta.

Bello como una bella estatua, tenso y erguido, se detiene en el quicio de la puerta. Lleva gafas de sol que reflejan la pista como dos retrovisores, un traje negro y chaleco de damasco. Como si fuese un periscopio, supervisa el local hasta que da con una cascada de cabello bermellón y, bajo ella, la cintura de Jamaica, el cinturón blanco, las ancas generosas, el vestido ajustado y las sandalias de metacrilato azul. El cuerpo de la mujer madura le parece, en el milagro de la divina penumbra, casi perfecto.

Como si lo intuyera, Jamaica se vuelve y él detiene su andar silencioso.

—Negro sobre negro... Ulises, ¿por qué te vistes así? Anda, me provoca una copa, tómate algo conmigo.

Entonces él sonríe y sus dientes son tantos y tan blancos que iluminan el local.

Ulises. Todas las mujeres que lo conocen sueñan con él, y por eso Jamaica, con ojo de tasadora, lo contrató como pareja de baile. Es demasiado alta y no puede bailar con cualquiera; en la cama, lo mismo da.

Con un tío como ese el éxito estaba asegurado: dueño de un ritmo crispante, Ulises baila hasta con los ojos, mide dos metros descalzo y rapado, tiene unas manos tan grandes que casi puede rodearle la cintura, y un hombre con ese aspecto le despierta las fantasías hasta a un buzón. Además, es muy reservado, y eso siempre viene bien.

Algunas parejas, pocas, se han aposentado en las esquinas y estudian con ansia la pista. Las mujeres, con el radar en marcha, detectan al negro y cuchichean, pero ninguna de ellas piensa que tendrá tanta suerte como para bailar con él. Saben que hoy no está allí por trabajo y es libre de elegir pareja. Ulises toma a Jamaica por la cintura, baja sus manazas hasta las caderas de la mujer pulsándola como si fuese un contrabajo. Divertido, pregunta:

—¿Y tus bragas?

—No hagas eso, no aquí.

Ulises, bruscamente, deja de sonreír, la suelta aunque se mantiene frente a ella como una sombra larga e inquietante. Por fin pregunta:

—¿De qué color es?

Un destello de ira brilla en los ojos de Jamaica. Lo hecho, hecho está, aunque no podía continuar así. No, si ella lo sabía.

—¿Por eso has venido?, ¿qué vaina es esta?, ¿me estás contando tus asuntos? Ya te dije que aquí no intimaras con nadie. Anda, ve a bailar, anima un poco la cosa. —Y luego, dándole la espalda—: Ya hablaremos.

Ulises se mordió una uña, la escupió y tomando una botella por el cuello se sirvió una copa, otra más, y salió a la pista.

Sin despegar los pies del suelo, comenzó a trazar círculos con las caderas para acomodar la música. Antes, bailar consistía en quedarse quieto esperando que el demonio de la música te poseyera. Ahora era apenas tecnología punta, un producto sofisticado para vender a todos esos blancos en su vano intento por reproducir unos pasos que no expresan nada si no los lleva en la sangre.

Al pasar adula el oído de una muchacha, le guiña el ojo a otra, evalúa la torpe evolución de una pareja de blancos; los separa tomando a la mujer por la cintura, mientras le habla al hombre:

—Así se mueven en Cuba, chico, así nos movíamos. Vamos, no sacudas tanto los hombros, repetía a los aprendices que no diferenciaban el torso de las caderas, y lo susurraba casi al oído con un acento demasiado cubano para ser de verdad, matizado con un cheli oportuno cuando escaseaban las palabras, una mezcla que ocultaba que no había nacido en la isla sino en Senegal, pero como africano nadie se come un rosco aquí, chico, qué tú dices.

Ulises había pasado de su pueblo, N'Dakhar, en medio de la selva, a Dakar, una gran capital, de Dakar a Madrid, y deseaba que su camino no terminase aquí. Sabía hablar wólof, árabe, francés y ese castellano con pespuntes cubanos que tanto enardecía a las mujeres. Y eso que le había resultado difícil aprenderlo, porque solo había una palabra en común entre el wólof de su infancia y el castellano de su madurez, y esa palabra era «llave», que en su tierra se decía *chavi*.

Aunque no era demasiado supersticioso y no había visto ni un fantasma en toda su vida, esa coincidencia parecía ocultar algo importante que aún era incapaz de descifrar, alguna llave que le abriría o cerraría una puerta, un talismán que lo libraría de los peligros enseñándole una salida adecuada para cada uno de sus problemas. Esa llave se la había regalado su tía al partir de Senegal.

—Si algún día quieres regresar a tu país —le había dicho—, no tienes más que usarla: abre la puerta de la casa que hemos compartido durante estos años, vuelve a tu cama, guarda tu ropa en el armario, y ya está. No importa que traigas o no dinero, tampoco importa cuánto tardes en regresar: eres el hijo de mi hermana y te estaré esperando. Pero no la pierdas. No la pierdas, porque, si pierdes la llave, es a mí a quien afrentas y ya no te querré recibir. —Y luego había añadido con aire ceremonioso—: Si tú no eres capaz de cuidar algo mío tan pequeño como una llave, no me pidas que yo cuide de un negro tan grande como tú.

Las ideas de su tía eran curiosas; de hecho, no se había atrevido a enfrentarla y la llave era el único objeto que lo acompañaba desde entonces.

Al principio pensó en marcharse a París, porque hablaban francés, como en Dakar, pero como hay tantos africanos allí supuso que España estaba aún con la novedad del negro. Luego supo que la moda del negro aquí no existió nunca, aunque para entonces compartía una habitación con otros senegaleses en el barrio de Tetuán.

De todas formas, no se podía quejar. Le gustaba el clima, ganaba algún dinero bailando y seducía a tantas mujeres como le apeteciera. Aunque también aquí hay racismo, chico, que todo hay que decirlo. Por eso se vestía tan elegante, como un señor, y aun así le pedían documentos cada dos pasos, chico, que los de la bofia son unos cabronazos.

Al verlo alejarse, Jamaica se mojó los labios con el ron, lo sintió bajar quemando, mantuvo la mirada fija en Ulises, en sus espaldas, sus caderas, lo imaginó desnudo, lo vio detenerse, olfatear, elegir entre las hembras, dejarse penetrar por la música, decidirse por fin. Siempre la excitaba ver a Ulises salir a la pista, se le despertaba un sentimiento que en su juventud casi no conocía y que ahora, en la madurez, crecía con una fuerza sorprendente.

Ulises sacudió los hombros y se detuvo: el espacio vacío se llenó con su presencia. Hizo una seña apenas perceptible a una muchacha que, embobada, se acercó a él y lo siguió, pensando que le había caído un trozo de cielo entre las manos; la tomó por la cintura mientras la sentía vibrar, la dejó moverse hasta acoplarse a su ritmo y, al ver su rubor, no pudo contener la risa, esa risa rápida de calderilla arrojada sobre un mostrador.

* Uno, dos, tres, hombro, uno, dos, tres, cadera, cadera, suave, muchacha, que bailas bien, arrímate al negro, mueve los hombros, canela, azúcar, clavo y café. Así, así, sí, señor,

a gozar. Qué buena que estás. Lo que quiere esa muchacha es que le apaguen el fuego, lo que quiere esa muchacha es que le enseñe a bailar. La música se clava en la cintura, la música se clava en la garganta, más abajo, más abajo, la música se pierde debajo de tus faldas.

Un negro masca chicle, avanza, saca a bailar a una niña rubia y con gafas. Él es alto, ella es baja. Negra, mueve la cintura, dice. Y la rubia gira, tiene fuego entre las piernas, tiene miel entre los labios, tiene azúcar en el alma. Niña, mueve las caderas, niña, déjate besar. Ella quiere que las piernas se confundan, que las almas se confundan, no mira al negro, mira el suelo. La niña baila y no mira. Qué le pasa, a ver, qué le pasa: la niña es virgen de cintura para abajo. Pero no puede, pero no puede escapar, no puede escapar al son, no puede esperar. Vamos, muchacha, deja que mis manos se apoyen en tus hombros, mira cómo el ritmo te trepa por las piernas, siente cómo el fuego se clava en tus caderas. Y no puedes escapar, y no puedes esperar.

Faldas, piernas y ombligos.

Y entre el humo y las luces, fragmentos de conversaciones, pequeñas historias que se mezclan sin llegar a ninguna parte. Voces, voces que flotan en el aire, atraviesan la pista, llegan hasta Jamaica, voces que dicen así:

—A los hombres hay que pegarles.

—¿Pegarles?

—Sí. Hay que pegarles en público para que sepan que los quieres. A ellos les gusta, y luego te dicen: «tigresa».

—En España ven negro y piensan que es todo igual, africanos que hablan en africano, tribus, que dicen aquí. No distinguen. Es como si dijéramos que los vascos o los catalanes son tribus que hablan europeo. Para nosotros, los nuestros son países con idiomas.

—La salsa es una palabra inventada por los que venden música. La salsa no se canta, se come. Eso sí: está el son, la guaracha, el mambo, la rumba, y muchos ritmos más.

—Él me engaña con otra. Voy a ir para allá y me va a oír.

—¿Vas a volver a Santo Domingo solo para que te oiga? Además, qué más te da. Tú estás casada aquí también, vives con un hombre desde hace dos años.

—Ah, eso es diferente.

—Yo, cuando digo negro, no lo digo despectivamente, sino porque negro es negro, blanco es blanco, azul es azul.

—Cuando en Cuba había soviéticos y búlgaros, a mí me gustaba porque eran extranjeros, y yo les llevaba dinero y ellos me daban latas de carne.

—A esa se le monta el muerto.

—¿Qué tú dices?

—Que se le monta el muerto.

Gira que te miran, dicen los blancos dando vueltas de caja de música mientras exhiben sus músculos. Y ese baile solitario de gimnasio, esa súplica a Onán.

Un hombre acodado en la barra le está diciendo a otro:

—¿Cómo se hace para ligar aquí? Es imposible hablar.

—Hay que venir varias veces para que te conozcan, o no te comes un rosco. Después se saca a una mujer una vez, y otra, y otra más. Si repite, quiere decir que está bien dispuesta; intentas quedar con ella a la salida. Lo más probable es que acepte.

Un, dos, tres, hombro, un, dos, tres, cadera, cadera, ritmo en las piernas, miel en la boca, y en tu cintura se engancha el son.

Vibran los negros sin rozarse midiendo el celo de las muchachas tímidas caderas hacia el norte, ardiendo caderas hacia el sur.

Si la noche avanza, si los ojos no dejan de buscarse, las pelvis son imanes que giran y se encuentran, la pierna entre las piernas, y el sexo tantas veces sacudido es una brasa. Y el hombre no sabe, y la mujer no sabe qué decir o cómo comenzar, cómo cruzar esa línea que va del baile a la cópula, de la cópula al baile.

—Qué bien te mueves.

—Pues no sabes en la cama.

* Una negra que se llama Omara está sentada junto a un blanco viejo que la mira embelesado. Parece que de esos labios gruesos estuviese brotando maná. Su corpachón desborda el silloncito de escay rojo en el que está sentada.

—Mira a ese negro —señala la mujer, mientras apunta con su dedo rugoso hacia Ulises—. Ahí lo ves, tan guapo por fuera, pero a mí no me gusta, porque la tiene muy grande. Una real tranca, eso es lo que tiene. Mírale los pies.

—¿Tranca?, ¿y eso qué es?

—La palabra que usamos en Cuba es pinga. Tranca ya se le llama a lo que es anormal, unos veinticinco centímetros o más, que eso se lo meta su abuela, porque te perfora la pelvis. Ese negro, te digo, y no interrumpas lo que te estoy contando, es lo contrario del hombre con el que me casé. Yo no sentía nada, no sé si perdí la virginidad con él o fue con el espéculo del ginecólogo. Mi madre se burlaba de mí y decía: «Quién se alumbra con ese mochito de vela». Por eso me divorcié. Unos por mucho, otros por poco.

Ulises no la oye pero sonríe y tiende con su sonrisa un puente de simpatía hacia la mujer, la saluda sin dejar de bailar.

—No solo los pies tiene grandes, te digo lo que te digo porque lo he tocado, que esos son los privilegios de estos años que llevo puestos, de lo mucho que lo conozco. Es para partirse. Cuando ese negro baila, baila así con las manos, haciendo muchas articulaciones, entonces voy por detrás y le toco los huevos, le toco el culo, me le pego. A él le encanta todo eso, porque se lo pasa muy bien y sabe que no es más que un juego. Lo que pasa es que desde que llegó esa rubia tan celosa...

—¿Qué hay, Omara?, ¿qué murmuras?, ¿qué te estás inventando?

—Vete, Ulises. ¿No ves que estoy de ligue? Anda, blanquito, invítame a otra copa.

El viejo, algo mosca, sopesa a Ulises. ¿Cómo va a poder competir con ese titán? Bebe, mira los vasos vacíos, los vuelve a llenar. Desconfiado, pregunta:

—¿Me prefieres a mí antes que a ese negro al que le tientas las pelotas?

—Ay, mi amor, no te me pongas bravo. Es que a mí me gustan los blancos. Mira lo que te digo: prefiero un blanco viejo que un negro por estrenar. Mi madre me decía: «Tú te vas a casar con un negro de la lengua roja y la encía negra.

Dios te va a castigar porque eres una racista». Es verdad, no me gustan los negros.

—Si tú también eres negra...

—¿Qué tú dices? Yo no soy negra, soy marrón. La que es negra es mi hermana, que vivió en Guinea con un musulmán. Es casi casi negra teléfono.

Ulises vuelve a sonreír, pero no se sienta a su mesa. Está cansado, quiere irse ya, así que se acerca a Jamaica, que recoge las últimas copas, pasa una bayeta sobre la barra, le atrapa una mano, la sostiene y ella cesa su actividad, percibe que esa mano caliente por el baile le transmite un ardor que la punza desde los dedos hasta el hombro, le recorre como una culebrilla loca el seno, le hace brotar los pezones, baja hasta su ombligo, hacia el triángulo del pubis, los pies, y en sentido inverso sube, hasta volver a la mano. Para evitar su influjo se concentra en la estatua de la Libertad que está pintada en la pared. La verdad es que es horrorosa, pero a todo el mundo le gusta, y no está de ánimo para redecorar el local.

Él la mira serio, sudoroso, se sienta a su lado y susurra, tomándole el rostro entre las manos, casi besando su oreja:

—Ya he cumplido con lo que me pedías, Jamaica. Ahora tú dime la verdad: ¿cómo está Gloria?, ¿de qué color nació el niño?

Cuando está a punto de responder siente una mano que no puede ser de Ulises, una mano voladora que la toma por la cintura y la atrae con rabia hacia sí, alejándola del negro: es Alexis y está como una cuba.

* Cuando vivía en Cuba, monologa Omara encendiendo el pitillo número mil de la noche, tenía cantidad de telara-

ñas, cantidad de sueños en la cabeza. Quería viajar a Guinea para buscar a mi hermana y trabajar unos meses con una máquina para hacer tortitas que creía yo que en Guinea no se había inventado. Luego me haría rica y nos vendríamos a España las dos. Es que mi cuñado, el guineano, le estaba haciendo la vida imposible, era muy bruto y quería raparle la cabeza y convertirla a su religión, que era la musulmana. Era una situación fatal, porque ese chico quería dominarla y pertenecía al ejército y ella estuvo enamorada de él, aunque con el tiempo mi hermana se desencantó mucho y lo rechazaba. Entonces estaba con él, y con otro muchacho más, que también era guineano.

Había conocido en Cuba a su marido, ¿sabes?, y allí era una persona maravillosa. Se cansó por lo de los musulmanes, y porque él quería estar todos los días haciendo el amor. Encima el negro ya la molestaba porque la tranca era bastante grande y ella se reía de él y él empezó a acomplejarse de su tamaño, que eso les pasa mucho a los militares, y a amenazarla con una pistola. Yo le escribí estas palabras:

«Aguanta, no desesperes, que ese negro no te va a matar. Voy a buscarte».

En Guinea vendían de todo y yo con la máquina para hacer tortitas no saqué nada, y ahí la tengo tirada en Móstoles, en algún lugar de la casa. Y si pudimos escapar fue porque hice brujería.

* Las luces del bar parpadean dos veces, abandonan el baile las últimas parejas. De pronto, la pista es atravesada por una bandada de gais. El mayor tiene unos treinta y cinco años, sombrero panamá, traje de hilo blanco y las manos cubiertas de anillos de motero. Se coloca en el centro, se

contonea, se detiene y pide a gritos en la barra algo para beber.

—Una sola copa, estamos cerrando.

—Otra más, y te cuento una historia divertidíiisima.

—¿Qué historia?

—La de mi amiga Begoña.

—No estoy esta noche para Begoñas. Vamos, fuera todos, ya es tarde. —Jamaica, casi arrastrándose de cansancio, se acerca a Omara—.

—Se acabó para ti también, Omara. ¿No tienes que ir a trabajar? Es muy tarde, ya no me tengo en pie. Vamos, no te enfades, ¿qué te pasa? No pongas los ojos en blanco, ¿te sientes mal? Todos hemos bebido demasiado.

Tras remolonear en torno a la pista, la bandada de muchachos termina por alejarse. La voz de tiple del que lleva el sombrero panamá sobrevuela la escena...

—Y entonces Begoña no tuvo mejor idea que... —secretea, se hunde en un aletear de carcajadas que se pierde en la noche.

Solo se oye el chocar de los vasos en la barra cuando Jamaica insiste:

—Tú también, Jotabé. Tienes que marcharte.

El hombre al que se dirige tiene unos cincuenta años, bebe como una esponja, nadie conoce su verdadero nombre. Fue alguna vez un hermoso niño de ojos redondos y azules, de mejillas sonrosadas. Ya no es más que un hombre maduro con cara de borrachín que abre mucho los ojos porque en la infancia le dijeron que eran lo más bonito que tenía. Haya bebido lo que haya bebido, nunca pierde sus modales. Ha estado solo toda la noche, sin acercarse a las muchachas, contemplándolas admirado. En realidad, nadie recuerda haberlo visto bailar y solo habla si alguien se dirige a él. Al final de la noche, se levanta bamboleándose.

—Ha sido un placer —repite—. Da unos pasitos hacia atrás, deja una generosa propina y besa la mano de Jamaica como si se tratase no de la dueña de ese tugurio, sino de la anfitriona de una gran casa a quien se le agradece una velada.

La dueña del bar sabe por experiencia que cada vez que quiere ser amable con alguien que está borracho termina mal. Elude un conato de disputa con Omara y el hombre que la acompaña, retira las copas y, poco a poco, los arrea hacia la salida. La negra le estampa dos sonoros besos en las mejillas, el hombre ni siquiera la saluda; sin darle la espalda, a saltitos casi, tímido, Jotabé se aleja agitando su mano sonrosada y pequeña que poco a poco se pierde en la noche. Solo permanece, flotando en el aire, como una estrella bailarina, la brasa de su pitillo.

Jamaica coge una botella de ron, la envuelve en un periódico y está a punto de salir cuando dos mulatos idénticos, muy altos, elásticos, con ojos del color del ámbar, entran en el local. No parecen hostiles, pero Jamaica se sorprende al verlos, se crispa, se relaja por fin, los hace pasar, les da la mano con una formalidad extrema. La mano blanca de ella reluce entre las manos de los visitantes. Alexis y Ulises los observan y se colocan lo más cerca que pueden para ver qué pillan de la conversación, están dispuestos a saltar, a entrar en pelea si es necesario; no los conocen y, además, maldita sea, no pueden oír lo que están diciendo. Jamaica gesticula, insiste en algo, niega con la cabeza sacudiendo violentamente la cascada de rizos bermellón. Ulises alcanza a oír el final de una frase:

—No hace falta, no hace falta más dinero...

Luego, ante la insistencia de la pareja, acepta el sobre con desgana y se lo mete en un bolsillo. Con este gesto de Jamaica la tensión se relaja y los gemelos cruzan un relampaguear de sonrisas. Finalmente, se despiden y Jamaica vuelve a ser la que era.

—¿Quiénes eran esos? —pregunta Ulises—. ¿Quiénes eran los dos mellizos?

—Nada, cubanos que buscan trabajo.

—De cubanos, nada, Jamaica. Qué tú dices. De Senegal, como yo. Mulatos tal vez, con sangre mandinga: mandingas de Kasamech, para más datos. Lo juraría.

Del brazo, tropezando, salen los tres del bar, de la noche que allí se quedó presa, de la música y el humo, de los secretos que la noche guarda y entran, borrachos, en la silenciosa madrugada.

Se quedan un momento en la acera. Jamaica estudia a Ulises, está perpleja por su intuición, pero no dice nada. Se coloca entre los dos hombres, se queja del calor, se abanica con el bolso y, con un gesto de nadadora que se quita el gorro, se arranca la peluca de rizos bermellón dejando al descubierto una melena corta como la de un hombre.

* —¿Que desea hacerse un lifting? De acuerdo. ¿Le molesta que la llame por su nombre? ¿No? Pues bien —aleja la ficha de su rostro y lee entrecerrando los ojos—: «Blanca Margarita». Bonito, bonito nombre.

Está de guasa, piensa Marga, mordisqueándose las uñas. Va a encender un pitillo, ve a tiempo que, a las espaldas del médico, un cartel dice: PROHIBIDO FUMAR.

El doctor Fieldeming la estudia en silencio y sentencia: bien, bien, bien, mi estimada Blanca Margarita, hablemos sin eufemismos. Y con el tono de quien lee la lista de la compra: nos hace falta contorno de ojos, patas de gallo, frente, mofletes, papada, cuello también. Los mofletes es fácil. Si no nos quedan firmes a la primera, corregimos y ya está, se pliega un poco de piel tras las orejas, así, así.

El doctor Fieldeming se coloca ambos índices bajo los lóbulos de las orejas, tensándose el rostro, que exhibe una especie de sonrisa idiota. Hace lo mismo en las sienes, se estira los ojos y cobra el aire de un oriental calvo y fofo. Los mofletes, liberados a la fuerza de la gravedad, pendulan y descienden más abajo de la barbilla.

—¿Lo ve, Blanca Margarita? Así.

Qué horror. Si vuelve a repetir su nombre en ese tono va a saltarle a la yugular. ¿Quién se cree que es para hablar de esa forma de su cara? ¿Se ha visto la suya? No, no, Marga, así no llegarás a ninguna parte. Un lifting vale una pasta y, si no confías, es mejor que no pierdas el tiempo. Debió de pedir a alguna amiga que la acompañara, a Viviana o Jamaica, por ejemplo. Pero ¿quién aguanta después las pullas de Jamaica?

—¿Y en qué consiste la operación?

—Ah, la operación es fácil. He hecho cientos. Diría, incluso, que he hecho felices a cientos de mujeres. —Sonrisita pícara, como si dijera ¿captas el doble sentido de la frase, so pánfila? Respiración profunda, pausa para que la broma cale, pobrecillas, las mujeres son tan lentas. Avanza el torso, la mira como si fuese un encantador de serpientes—. Podrá salir a la calle sin ningún complejo. Vendrá a decirme como todas: «Gracias, gracias, doctor Fieldeming, me ha cambiado la vida».

Nueva idea, nuevo silencio para que ella digiera.

—Y yo le responderé: «No se preocupe, querida Blanca Margarita, no era más que mi obligación». —Silencio más corto, y luego, de carrerilla, ¿frase aprendida de memoria?, ¿eslogan?—: Si desea mantener la privacidad, no se preocupe, aquí no ha pasado nada, no nos hemos visto jamás.

Y el médico se pasa dos dedos sobre los labios, como si cerrase una cremallera. Qué desagradable. ¿Hará implantes de cremalleras también?

—¡Una segunda juventud! Imagínese... —Mira de reojo la ficha, se le ha olvidado el nombre—: Blanca Margarita — (¿con sorna?).

Rompe el silencio y repite, separando mucho las sílabas, como si ella tuviese, en lugar de arrugas, una insuficiencia auditiva o un leve retraso mental:

—Los años no perdonan, ¿me comprende bien? No-per-do-nan. —Vuelve a leer, alejando la ficha más de su vista—: Cuarenta y ocho años dice usted que tiene...

—No *digo* que tengo, esa es *realmente* mi edad.

Al pronunciar «realmente» se siente como una timadora profesional. Ese tío la pone muy nerviosa, pero continúa la entrevista con la decisión de un kamikaze:

—Además de tener una vida social activísima, soy periodista y escritora. Bueno, muy pronto seré escritora. Tengo también dos hijos, ¿sabe?, el mayor vive en Londres. Y estoy separada desde hace un año. Mi marido...

¿Está volviéndose idiota? ¿Por qué le cuenta su vida? ¿Para que la estudie con esa cara de paciencia?

—Le podemos mostrar su nuevo rostro por ordenador.

Un rostro planificado por ordenador. En guapo, una especie de monstruo de Frankenstein redivivo. Da escalofríos.

Sin demostrar sus temores, insiste:

—Le preguntaba si puede explicarme exactamente en qué consiste la operación.

—Si usted lo desea así... —Luego, con una voz sin matices—: Se corta con un bisturí alrededor de toda la cara y se despega la piel...

Las manos del médico, que permanecían suspendidas alrededor de su rostro como si sostuvieran el paño de la Verónica, se mueven en el aire con el gesto de quien recubre algo con ese papel transparente de los congelados, y Marga imagina su rostro, la exposición a la vergüenza de lo que el cuerpo esconde hasta de su dueño, los ojos estrábicos de las reses en la carnicería, la masa sanguinolenta...

—Y se tensa, y se tensa —está diciendo Fieldeming—, y entonces...

Entonces Tarantino, La Masa, Rambo, La noche de los muertos vivientes, y el doctor Fieldeming estirando más y más, ojos de oriental, sonrisa permanente, y el miedo a que cualquier cosa rasgue el finísimo envoltorio y ¡plop! en mitad de una fiesta, en una entrevista o, peor aún, delante de esa secretaria de veinte años que cada mañana sierra un poco más las patas de su silla, y Marga alejándose de su oficina para no volver nunca jamás, intentando pegarse el papel lleno de arrugas, la nariz quién sabe dónde, un amasijo asqueroso, bueno, doctor, mejor me lo pienso, ya lo llamaré, gracias, muchas gracias por su tiempo, seguro que me decido.

* La hija de Marga está sentada en la cocina, sola. Se levanta, va a la nevera, saca un yogur. Muerde las uvas, una tras otra, sin sacarles la piel ni las pipas. Le gusta comerlas así: mete la lengua por el pequeño orificio que las unía al racimo

y siente el tacto gelatinoso y húmedo, succiona hasta lograr una explosión fresca. Dentro de su boca las uvas son como un corazón que se ha dado la vuelta.

Su madre le ha dejado una nota, volverá tarde. Se alegra; a ella le gusta el silencio, estar sola en casa. A la vez que se alegra, una íntima inquietud la punza: no hay nadie para recibirla. Enciende todas las luces de la casa, entra en la sala llevándose varios plátanos en una bandeja, se sienta en el sillón rojo y ve el cenicero lleno de colillas. Frunce el ceño: su madre ha vuelto a fumar. Tapándose la nariz lo vacía dentro del cubo de la basura, lo mete en el fregadero, se acerca a la mesa donde está su puzle, coge el tablero, lo coloca sobre la mesilla nueva, se sienta como un pequeño Buda sobre la alfombra y comienza a estudiarlo. Hoy tiene tiempo, así que intentará completar la esquina derecha, la del cielo, cuyas piezas, casi idénticas entre sí, de color azul acrílico, serían capaces de crispar a un lama.

Ya solo existe para la niña el universo fragmentario de esas piezas, esa realidad dispersa que danza esperando un lugar.

* El cielo de Madrid en agosto es un techo azul pintado con acrílico, pende sin fisuras, monótono y plano, se deshace en el ocaso tras los edificios que rezuman calor. No es el cielo, es la ciudad la que ennegrece en el crepúsculo. Lentamente se convierte en una sombra contra el azul que deriva al magenta hasta desteñirse.

Parece que, en algún lugar, alguien está apagando una lámpara.

✻ Poco a poco, como si se encendiera una lámpara, la primera luz define el rectángulo de la ventana. Gloria, semidormida, estira los brazos, bosteza, busca bajo la almohada y encuentra el móvil apagado, mudo y negro entre las sábanas pálidas. Antes, sin él se sentía desconectada, desnuda casi. Pero, desde que nació el niño, no tiene el menor interés en el mundo que la rodea.

Ha transcurrido ya una semana. Abre los ojos, se despereza, mira a su alrededor. Es una hora imprecisa. En el duermevela tibio, de tonos apagados, emergen peluches, frascos de colonia de colores ñoños, imágenes edulcoradas, mofletes. Toda esa iconografía de la maternidad consigue hacerla sentirse como una tonta, nunca podrá huir de las blandas redes de la ternura. Esto lo piensa cuando logra pensar. En general está ausente y en camisón, vaga a ratos por la casa, deambula. Desde que el niño nació tiene el cerebro vacío, solo desea estar con él, admirarlo, no puede resistir demasiado tiempo sin oírlo respirar, sin asomarse a su cuna. El sueño del niño es tan profundo y denso que teme que se deslice, sin ella percibirlo, hacia la muerte. Sobresaltada se asoma a la cuna, ansiosa por escuchar aquella rápida respiración tranquila.

Ahí está, es perfecto.

No solo lo ve: puede olerlo. Es ese aroma dulzón a carne nueva que la persigue hasta en sueños: porque también sus sueños han cambiado, son imágenes en las que reaparece su madre. ¿Cómo habría sido todo si ella no hubiese muerto? Intenta imaginarla como abuela y le resulta imposible. Su madre permanece fijada en una escena alegre, con una fuente entre las manos en la que humea el arroz, bailando en la cocina. *Cha-cha-chá, qué rico el cha-cha-chá*. Gloria corría a sus brazos, la besaba, hundía su carita en la cabellera larga y rubia hasta encontrar la olorosa piel del cuello, el aroma a gardenias de su perfume, las flores que a ella le gustaba tanto llevar sujetas al pelo, y luego, suéltame, hija, que las chafas, siéntate allí, y la madre mirándose en el espejo, esponjando los pétalos, cantando con su voz suave, como para sí misma, *dos gardenias para ti, con ellas quiero decir te quiero, te adoro*. Gloria la mira otra vez, la estudia desde esa perspectiva de los niños que va de la ternura a la admiración, cuando sea grande quiero ser como mamá, y, sentada en la sillita, la observa en escorzo, sigue el menear de las caderas, el golpeteo del cuchillo sobre la tabla picando ajo, los pimientos, el chisporroteo del aceite, el orégano por fin. O las especias, los colores violentos, naranjas, verdes y ocres, el curry que aromaba hasta las habitaciones del piso alto, el agua de coco tan difícil de encontrar en la España de aquella época. Las salsas que preparaba su madre invadían la casa, el barrio, los vapores de la cocina se convertían en abrazos, en membranas que penetraban su memoria formando recuerdos cristalinos como capas de cebolla. Gloria está sentada en la cocina, huele y observa, escucha y observa: llega su padre, lo enmarca el vano de la puerta, se detiene allí como si al entrar en la cocina debiera sumirse en una violencia que lo excede. Tal vez entre los fogones se esconde algo que se huele, se palpa en el aire, se oye por encima del chisporroteo del aceite, el golpear de los cuchillos sobre la madera, el batir de un tenedor contra la loza. El tenedor bate, y el tiempo es un tictac presuroso en el reloj de la pared, un tictac en el corazón de la pequeña Gloria que no comprende pero calla, que percibe, como los niños perciben, algo doloroso en ese hombre seco y pálido y cansado. Cuando él entre, la niña lo sabe, todo se plegará: dejará de batir el tenedor, el corazón del reloj, se enturbiará el aire sobre los colores de la cocina, caerá sobre todos ellos una niebla en la que costará moverse. La niña lo percibe aunque ignore la razón: sabe que, con el retorno del padre, se acabará la fiesta.

Gloria salta del recuerdo a la penumbra de su habitación: está angustiada.

Su madre no vivió el tiempo suficiente para explicarle qué sucedía en aquella casa, por qué la gestó en Cuba y regresaron deprisa a aquel pueblo triste de la posguerra donde ya nada tenían, donde nadie los esperaba, por qué, en fin, su padre regaba la casa con esa tristeza, por qué el temor. Primero murió su padre y, meses más tarde, desapareció su madre también. Y el mundo se convirtió para Gloria en un lugar inseguro.

Toma la fotografía que siempre tiene en la mesilla, oculta ahora entre biberones y chupetes, la estudia: su madre es ya más joven que ella, lo será para siempre, con esa fijeza generosa que la muerte da a los rostros. Solo Gloria envejece, sin el techo de la experiencia, sin cobijo. Desde el parto se siente más sola, como si ese fino segmento que va entre la vida y la muerte se acortara deprisa, despiadado, como si alguien hubiese dado cuerda a un reloj que avanza sin compasión.

En una semana ha cambiado su percepción del mundo: nada es igual después de este niño que duerme a su lado. Reprime el deseo de tomarlo en brazos. A veces lo saca de la cuna solo para que la tranquilice su calor, y el desordenado movimiento de protesta de sus miembros inermes. Son casi las ocho. Descalza se prepara un café, regresa a la habitación con una bandeja. Debería estar durmiendo, debería aprovechar las pausas en las que el niño descansa, pero no puede. Lo que desea realmente es que el pequeño se despierte, que le succione el pezón, que la adormezca el placer. Preferiría que Julio desapareciera, que no entrase en esa estrecha pareja que forman ella y su hijo. Que no los separe.

Cuando él se ha ido las mañanas son casi un milagro. En el aire leve, bajo una luz oblicua, resucita el niño con los pañales empapados, hambriento y dispuesto a adherirse a ella como una suave ventosa, aquellas manos suaves que la tantean como si deseasen reconocerla hacen que flote en una especie de éxtasis del que no podrá escapar a lo largo de todo el día. ¿Cuánto tiempo durará aquello? ¿Se atreverá a dejarlo solo alguna vez? Y recuerda la carita enfurruñada y roja del niño al nacer, ese aspecto de enfado que tenía al asomarse, como si estuviese furioso porque lo habían interrumpido en su sueño de a dos, arrancándolo de allí para dejarlo solo. El llanto del niño y su grito, tan inoportuno, tan imprudente: ¡es blanco!

Pobre. Pobre Julio.

* —No, no me decido. Y no te enfades, Thais, por favor.

—Vamos, mamá, es el primer día que salgo pronto en semanas. Ven conmigo de compras y merendaremos juntas. Nunca tienes tiempo para mí.

—Nada de reproches...

Al ver la tensión de la muchacha, las manos aferradas al volante, Jamaica comprende que este no es un simple «Mamá, te llevo en el coche, mamá, te invito a merendar», sino que las nubes de una tormentosa confesión filial están cuajando sobre la cabeza de Thais y, si lo permite, las arrastrará el viento y estallarán sobre la suya. No le apetece en absoluto: hoy no. Últimamente da la impresión de que todo el mundo desea contarle algo. Ya pasó el tiempo en el que estaba disponible a todas horas para que tronara cualquier desarreglo afectivo de los que la rodeaban, ha terminado su época de basurero nuclear. Además tiene el estómago destrozado. No debió beber tanto ron.

—Es viernes, tengo clase y me toca abrir temprano, preparar las bebidas, hacer un poco de calentamiento si no quiero descoyuntarme. A mi edad...

—No intentes darme pena, mamá, estás espléndida.

—Me bajo aquí.

—¿No me permites que te acerque? Estamos lejos y tendrás que andar.

—Sabes que no me gusta que vengas al local. No me gusta en absoluto.

—¿Por qué no me dejas ser amable contigo? No voy a raptarte, mamá.

Quiso decirle también que Los Bongoseros de Bratislava, o como diablos se llame ese tugurio, no le interesaba en absoluto, pero se calló a tiempo. En realidad, lo que desea es mantenerla interesada, pero nunca lo logra. La gente como su madre se aburre con facilidad, y ella solo es capaz, cuando está a su lado, de hilar queja tras queja. Siempre le sucede lo mismo, como si la inercia de un vínculo establecido hace siglos fuese un nudo gordiano. Se está comportando como una cría y lo sabe, tiene que hablar, es importante que lo haga, pero las palabras se le apelotonan en la garganta como un trozo de pan reseco. Jamaica, distraída, mira por la ventanilla.

En fin, si su madre no está en disposición de escucharla, no es su culpa. No, no es este un buen momento para contarle lo de Alexis. Algo más tranquila, se justifica pensando que lo ha intentado. Ahora puede aparcar e irse de compras: es lo único que la relaja en los momentos de tensión.

Ve cómo su madre se aleja entre los coches, cómo corre con agilidad hasta alcanzar la esquina. Sí, se comprará unas sandalias blancas. Con una mano echa hacia atrás su pelo castaño, abre la portezuela y estira sus largas piernas hasta alcanzar la acera.

Sí, lo ha intentado, es su madre quien no quiere escucharla.

* Al llegar a la esquina Jamaica se detiene, se da la vuelta y observa cómo su hija se aleja; la estudia con una mezcla de curiosidad, ternura y pena, tiene la extraña sensación de que no la conoce. No le gusta que la presione, que intente organizar su vida, sus críticas constantes la molestan. Sin embargo, mientras ve flotar su cabellera castaña entre los transeúntes, no puede impedir un vago sentimiento de piedad. Debería ser feliz, se dice, en realidad no le falta nada. Pero, cuando no se consigue algo a la edad adecuada, se continúa reclamando toda la vida. Eso le sucede a Thais. Ha sido adulta siendo una niña, y está pagando las consecuencias. Pobrecilla, tan débil tras esa fortaleza aparente. Y entre ambas cuaja la formidable sombra del padre de Thais, ese hombre del que la muchacha nunca oyó hablar, cuya identidad desconoce. Sin embargo, se parece bastante a él: es terca como una mula.

Ha besado a su hija acariciándole el pelo, el suave tacto aún permanece en su mano.

—Pobre, pobrecita niña.

Thais, con la vista al frente, camina con paso impetuoso. Algunos hombres se vuelven para admirarla.

Debería enamorarse, piensa Jamaica, viéndola desaparecer. Aunque, ¿para qué convocar al amor, si el amor no hace más que complicarlo todo? La persona que no ama está mejor armada, se defiende mejor. Relajarse un poco tal vez, eso le vendría bien.

Aún la persigue la imagen de la muchacha mientras camina largamente por la ciudad, pensando en todo y en nada. Es como si aquella tarde ya hubiese pasado y fuese solamente un día repetido entre los tantos días que ya le ha sido dado vivir. Ha llegado el momento en que de todo hace mucho tiempo, pero, aun así, las calles, los árboles, el cielo aparecen como un trémulo milagro. Nunca se ha sentido tan bien, avanza con la seguridad de un transatlántico, a largas zancadas acorta el espacio que la aleja de Los Bongoseros de Bratislava y, como si la sangre que circula infinitamente fuese capaz de nutrir los recuerdos, se ve con cuarenta años, cuando aún esperaba algo indefinido, y la espera la había hecho infeliz. Al llegar a los cincuenta, había comprendido al fin que la vida no era un ensayo general de algo que vendría más tarde, sino simplemente esto: el sol, las calles, el baile, los amigos, algún amante y poco más.

—Pobre, pobre Thais. Todavía cree que el mundo le debe algo.

Al llegar al local, levanta el cierre con energía y, una vez dentro, vuelve a bajarlo. No le gusta estar sola con la puerta abierta, así que avanza en la oscuridad hasta el interruptor de la luz y pisa un sobre. Preocupada, enciende la luz: ya sabe con qué se va a encontrar.

Es un sobre idéntico a los que ha ido recibiendo a lo largo de años. Lo levanta despacio, lo rasga y lee. Su contenido no es muy distinto al de otras ocasiones, acaso más angustiado, más insistente. Tiene cajas y cajas con cartas como aquella, en las que guarda la historia de casi una vida, tal vez en algún momento tenga que utilizarlas.

Mientras esconde la carta bajo la bandeja de la caja registradora, piensa que quizá habría sido mejor aceptar la propuesta de Thais; es dura con la muchacha. Al fin y al cabo, qué le costaba acompañarla. Ella no encaja en el papel materno, nunca le ha ido bien, y sería peor engañarla. Se quita la ropa de calle y se calza unas mallas. Con una ginebra en la mano comienza a relajarse, a destrabar los músculos, a aflojar las articulaciones. Por fin conecta con la música: salsa.

* Cuando Gloria despertó, estaba soñando con su madre y, por alguna de esas raras traslaciones del sueño, le vino a la mente Jamaica. No había vuelto a hablar con ella desde que nació su hijo, aún no ha llamado a nadie.

Qué importa: el niño es blanco, está libre de sospecha. Julio no ha hecho más preguntas y el bebé tiene ya quince gloriosos días.

La primera semana Julio estaba alterado, salía a horas inusitadas, regresaba tarde y nervioso como si viniese de encontrarse con un grupo de gánsteres, daba explicaciones absurdas, a todas luces mentía. A ella le fascinaba observar cómo trazaba círculos a su alrededor, acercándose más y más a su secreto para alejarse de pronto, confuso y desasosegado.

Se levanta de la cama y entra en el baño. Sobre un estante se mezclan en un desorden profuso cremas para la piel con loción para después de afeitarse, maquinillas y perfumes, cepillos de dientes. Lleva demasiados años con Julio, tantos que ya casi no sabe dónde termina ella y dónde comienza él. Incluso se ha sentido tentada a confesarle la verdad. En algunos momentos, hasta ha tenido que reprimir el deseo de colaborar con su marido, de colocarlo sobre la pista correcta. Después de años de vivir juntos, aun vueltos de espalda tienen conciencia de la gravitación del otro, no chocarían entre sí aunque vivieran en un metro cuadrado. Pero a veces los matrimonios olvidan que son dos personas independientes y cometen la tontería de confiar al otro algo que convendría callar. ¿Y para qué? ¿Acaso tiene alguna importancia la verdad? En estos casos, el silencio es más generoso. Y mucho más difícil.

Sale de la ducha y se estudia en el espejo. Los pezones, oscurecidos por la maternidad, han tomado un tinte casi marrón que resalta sobre su piel blanquísima, está algo demacrada y tiene ojeras, el pelo deslucido. Aun así se siente hermosa.

—Al fin y al cabo, solo fue una aventura de un fin de semana.

Pero, mientras se cepilla con vigor el pelo, siente que está mintiéndose, que cada día piensa más en él. Se calza, se pone un vestido ligero, se sujeta el pelo en la nuca como cuando era niña y se asoma a la cuna.

—Es imposible, o casi imposible, que este niño sea hijo de Ulises: es blanco como la nieve.

Lo suyo es mala suerte. Años intentándolo, y lo consigue justo cuando ha tenido una aventura. Y, para colmo, con un negro. Una historia cantada, por otra parte, o más bien, bailada, porque ¿quién habría podido resistirse un segundo a los apremios de Ulises? Su trabajo le ha costado llegar hasta aquí en silencio, sin gritarlo por toda la ciudad, sin dibujarlo en el cielo con el humo de un avión: ¡me he acostado con el hombre más guapo del mundo!

Que lo sepa Jamaica la beneficia: ella, que tantas veces le ha servido de coartada, sabrá callar, y con ella puede compartir la gloria de su amor. Ningún amor es tan privado que no busque público, esa envidia que se asoma al rostro de quien escucha una descripción más o menos minuciosa de los hechos que hace revivir los placeres. Un amor que no se cuenta a nadie es medio amor. Y Ulises, nada menos que Ulises. Pero Jamaica, lejos de admirarse de su conquista, se había limitado a decir, alzando los hombros:

—Tú sabrás lo que haces.

Enciende el televisor sin sonido. El telediario del mediodía muestra guerras, imágenes cruentas, la presentadora anuncia con cara seria a saber qué; le recuerda a su profesora de matemáticas; Gloria hace zapping, finalmente lo apaga, va hasta la ventana a descolgar la ropa del bebé, gira la cabeza hacia arriba y ve el cielo. Es un cielo de un azul blanquecino, de final de verano y, enmarcado por el patio, tiene un reborde gris. Se queda unos segundos mirando hacia arriba; hace días que no sale de casa, tal vez ya sea hora de iniciar una excursión hacia el peligroso mundo exterior. Descuelga también una camisa de Julio y la huele, la arroja al cesto de la plancha. Por la ventana abierta de la sala sube el sonido de una ciudad vocinglera y estrepitosa. La cierra y vuelve a acercarse a la cuna.

Nada es urgente. Solo el niño, solo él.

* Seguro que logrará comenzar esa maldita novela llena de bueno sentimientos en estos últimos días de calor, se dice Marga, así que se levanta temprano y decide salir con su libreta de apuntes e ir a la piscina antes de su clase de salsa.

Lleva un bañador nuevo que no le queda tan mal; el biquini lo abandonó hace tiempo, justo el día en que, sentada, descubrió que habían desaparecido sus braguitas aplastadas por un michelín. A pesar del infausto recuerdo, observa el panorama y, sin perder el coraje, Marga extiende la toalla lejos de la piscina de los niños. En la olímpica se oyen los gritos de los jóvenes que se empujan o se exhiben; sus cuerpos, bajo el sol, parecen de oro. En el centro está la menos profunda, la de los mediocres, en la que se atreven los adultos que no saben nadar y que nunca aprenderán a hacerlo, aunque dediquen meses y tardes de verano y espanto a esa especie de naufragio de la autoestima que los lleva a bracear lívidos, tensos, sin alejarse de los bordes.

Bueno, bueno, es un ángulo perfecto para comenzar con la investigación, aunque la sombra sea escasa, y a los que no nos gusta el agua, qué. Los que no se meten en el agua es porque se están bronceando, como ese tío buenísimo, y luego, incómoda, piensa que casi podría ser su hijo. Vuelve a concentrarse en las mujeres, total, para qué, hace años que es invisible y ningún hombre la verá aunque se desnude, se suba a un banco y comience a gritar que ha llegado el fin del mundo. Así, semidesnuda, la gente muestra su alma sin tapujos, como si la cercanía del agua (reminiscencias maternas, líquido amniótico, protección, impunidad, anota, entusiasmada con la imagen) y el sol (elemento masculino, fuerza, vibración, etcétera, etcétera) la llevasen a una especie de infancia inocente y frívola.

Se unta con crema bronceadora, respira hondo, continúa con su estudio, sistematiza las primeras impresiones. Aquella muchacha, por ejemplo, con ese novio que intenta hundirla una y otra vez en lo más profundo de la piscina, ¿no comprende que ese hombre va a tirar de ella siempre hacia abajo? ¿Y aquellos niños? Uno es mucho más guapo que el otro y maltrata a su amigo. «Si no saltas ya mismo al agua, vas a ver. Venga, miedica.» Cuidado, huyamos, tenemos a un déspota incipiente en bañador.

Calma, calma. ¿No recuerdas que no venías a criticar, sino a llenarte de buenos sentimientos y de aire puro? ¿Te parece que estos son buenos sentimientos, Marga, sentimientos dignos, digámoslo con todas las letras, de la mesa de «los más vendidos»? ¿Acaso no recuerdas que estás tendida sobre esta toalla pringada de crema bronceadora en este maldito día de calor, mostrando unas piernas que avergonzarían a un exhibicionista, pillándote hongos en los vestuarios, solo para documentarte? ¿Que no estás tan mal? Bueno, todo es cuestión de con quién te compares. Todavía no se te ha doblado la columna, ni parece que tienes un salvavidas empotrado en la cintura. ¡Qué positiva! ¿Es eso lo que piensas de llegar a viejo? ¿Y aquello de ser sabia, tolerante, comprensiva, una filósofa (de qué otra forma se puede sobrellevar la ruina si no es filosofando, vamos a ver) y los nietecillos que vendrán, y todas esas alegrías? ¡Y una mierda! No, no quieres envejecer, menos aún ser abuela. Pero el tobogán se inclina cada vez más, coges velocidad y llegarás, llegarás abajo sin remedio.

Ay, Marga, pareces una nube contaminada de rencor. Confiésatelo, confiésatelo de una vez: desde que te has separado, detestas al género humano en pelotas, vestido o con traje de astronauta. Y con ese espíritu, ¿cómo vas a escribir algo que conmueva a alguien?

Tranquilízate, respira hondo, enciende un cigarrillo. Uno solo, y nada más. Y a casa, que llegarás tarde a la clase de salsa.

* Nervioso, Jotabé enciende un pitillo. Mientras se calza para la clase Marga lo oye inhalar (un suspiro en varios niveles) y recuerda lo que se ha jurado a sí misma al salir de la piscina: hoy, ni uno más, ni una calada.

Marga, dice la voz interior, vienes a bailar, a pasártelo bien. ¿Has oído? Dis-fru-tar. No seas masoquista. ¿Cómo vas a concentrarte si no te fumas por lo menos uno? ¿Qué vas a hacer con las manos? ¿Tamborilear sobre la mesa? ¿Beber como si fueses Hemingway? La mente en blanco, tengo que dejar la mente en blanco pero no puedo, se va tras el hilo de humo que sale del pitillo de ese hombre, que se retuerce en bellísimas volutas, el humo modernista del tabaco: qué hermosura. El hombre que fuma le parece hasta guapo. ¿Y si le hablara? ¿Y si iniciara una conversación para controlar el mono? Al fin y al cabo, está solo, y cree haberlo visto sentado a esa misma mesa otras noches. ¿Qué puede decirle, con qué frase romperá el hielo? A ver, algo original... Y antes de elegir las palabras, ya está oyendo su propia y ansiosa voz:

—¿Tiene un cigarro?

Si será gilipollas. Se arrepiente, el hombre ya se ha puesto de pie y, con la elegancia de un duque, está ofreciéndole el paquete entero como si fuese un ramo de rosas. Marga está a punto de mirarlo a los ojos cuando toda su libido se concentra en los pequeños cilindros que emergen entre el papel de plata. Luego, más tranquila, a través del humo, percibe que su salvador tiene unos hermosos ojos azules y dientes separados, de niño. Es demasiado viejo. ¿Qué edad tendrá? Unos... cincuenta años, calcula espeluznada. Dos o tres más que yo.

—Gracias, muchas gracias —murmura, y huye hacia el grupo de bailarines.

¿Podrá bailar? ¿No le harán falta muletas? ¡Tiene casi cincuenta años! Cómo sucedió, cómo llegó a acumular tantos sin darse cuenta. Si aún quiere un hombre, debe darse prisa. Ha pasado años persiguiendo el amor, toda su juventud no ha sido más que una carrera de obstáculos, y la madurez, el inútil intento de sujetarlo, de mantenerlo encerrado dentro de las paredes de su hermoso adosado. Hasta hace poco pensaba que podía salvarse algo con amor, ha corrido como una loca para atraparlo, ha trabajado como una esclava para lograrlo y, cuando la carrera se acaba, cuando se sale de la pista por puro agotamiento, descubre por fin dónde está el amor: a sus espaldas.

* Con el mechero encendido, alelado, Jotabé observa a Marga alejarse hacia la pista para sumarse al grupo de danzarinas. Cuántas semanas lleva esperando que ella le dirija una palabra. Y lo ha hecho, por Dios, lo ha hecho al fin. ¿Qué fue lo que dijo? «¿Tiene un cigarro?» Luego, con la misma voz seductora, ronca por el tabaco: «Muchas gracias». Qué mujer: avergonzada, ruborosas las mejillas, algo confundida, tímida, bellísima. Mientras paladea su copa, piensa que ha sucedido un milagro.

Omara se sienta a su lado y le da un codazo en las costillas.

—Yo sé lo que te pasa; invítame a otra copa y te lo digo.

Y Jotabé, todavía flotando:

—Yo también lo sé. Pero siempre, siempre fracaso. Mira, mira qué hermosa es. Mira cómo baila.

Omara estudia a Marga, la evalúa, la sopesa, sacude la cabeza de izquierda a derecha, de derecha a izquierda, bizquea, pone los ojos en blanco y, por fin, da su veredicto:

—El amor es ciego.

* Viviana, en Buenos Aires, una semana antes de regresar a Madrid:

—¡Mierda! (joder) —dijo Viviana, o más bien lo pensó, porque nadie le suelta una puteada (un taco) a un editor en la cara aunque le esté rechazando un libro a menos que sea suicida, qué pelotudeces me está largando este boludo (qué coño me está soltando este gilipollas).

—Que lo suyo no es literatura argentina..., solo el seudónimo con el que firma... Felicitas Coliqueo, ¿verdad?, ¿una cautiva?

—Felicitas Coliqueo, sí, hace años que lo uso.

Él no parece escucharla, mira al techo, las fotografías colgadas en la pared, muerde la patilla de los anteojos, mira al techo otra vez. Luego continúa:

—Esa problemática, ese lenguaje... tan alejados de nosotros, de lo que se hace acá...

Lo piensa, no lo dice: ¿«nosotros»?, ¿«acá»? ¿Es que aquí se hace una sola cosa? Y en voz alta:

—Me está diciendo que yo...

Sí, se lo está diciendo, de verdad, no es un chiste, no es una escena surreal que se desarrolla en alguna pesadilla de esas que Viviana llama «el ciclo del exilio». Está ahí, arrinconada en esas mesas diminutas que se usan en los bares de Buenos Aires, tomando un café en una librería que antes no estaba (¿sería un cine?, ¿uno de los tantos cines desaparecidos de la calle Corrientes, una de las tantas desapariciones de todos estos años?). Allí el editor le está repitiendo, mientras sacude una y otra vez los hielos dentro de su vaso, que ella no es una escritora argentina (ni española, claro, ninguna española habla así, ni comprende qué implica esa historia de desapariciones, y basta que diga «hola» en Madrid para que se le responda: argentina, ¿verdad?).

—No —se justifica el editor—, no le digo que usted no sea argentina, pero esta novela...

Está borracho, sospecha Viviana, que va a preguntarle si tiene alguna importancia eso de la nacionalidad. De pronto percibe que la mano del hombre la empuja hacia atrás, hacia ninguna parte, cierra una pesada puerta con triple llave y ella debe quedarse encerrada fuera, en el limbo, en ese limbo de los que se tuvieron que ir, en el no-lugar de los exiliados, castigada para siempre.

Buenos Aires es más cara que Madrid, los sueldos más bajos, la vida difícil. En todas partes hay niños que piden limosna, son muy pequeños, ¿de dónde salen?, ¿quién los cuida? La gente los trata con dulzura, aunque muy pocos les den algo. En Madrid la gente que mendiga es transparente, carece de entidad física, puede morir en la calle y los peatones simplemente la evitan, piensan que está colgada, que está borracha. Son los pobres del desarrollo, la cuota que hay que sacrificar para que las cosas sigan como están. Aquí no, aquí la gente es visible, su miseria pesa, salpica.

—Buenos Aires está carísimo —dice el editor—, terrible —cambiando prudentemente de tema, guarecido tras sus anteojos (gafas) a lo Lenin, envuelto en esa exuberante pilosidad o pelambrera que le cubre todo menos lo que debería, es decir, la cabeza, cabezota pelada (calva, calvorota) de media luna (¿de croissant?, ¡qué disparate!), el pecho muy ancho, las piernas cortas, de batracio (Viviana, no te pongas agresiva, no te conviene)—. Buenos Aires carísimo —continúa impasible (¿con respecto a qué?, este cabrón se está tirando el lance de que le pague el whisky, güisqui, escribirían en Madrid, con el auspicio y real bendición de la Academia) y me devuelve el manuscrito sujetándolo con dos dedos como si fuese una bombacha (braga) sucia que se encontró en la calle, no es literatura argentina, puaj, y yo tengo que tragarme el café y mi dignidad, todo de un trago.

Luego, sorprendidísima: ¿es idea mía o este cretino está rozando mi rodilla con la suya por debajo de la mesa?

—Parece una traducción —continúa él, y el manuscrito entre sus dedos tiene un pendular de ahorcado.

Mientras Viviana apuntala su dignidad en fase de derrumbe, el editor saluda a alguien y ella piensa: ¿me está tratando de levantar (ligar) este imbécil (ídem)?

—Una traducción de Miller al castellano de allá. —¿Dijo «de allá» levantando un poco la nariz?, ¿con una leve expresión de asco? ¿Qué tiene que ver con la Argentina, eh?—. Esto, aquí, es muy difícil de vender. Muy muy difícil.

Pensamiento de Viviana: por mis muertos (intraducible), a este me lo cargo (¡lo mato!). ¿Qué espera, que hable de la Patria, ¿que escriba un libro de historia, una biografía? ¡Vendo dos libros a precio de uno!

Y, en voz alta, Viviana:

—Claro, claro. Ya comprendo. Lo mismo me dijeron en España: difícil de vender, demasiado argentino. Así son las cosas.

Él, con cautela:

—Qué curioso..., demasiado argentino, dijeron.

Fuerte viraje, tuteo repentino, el torso adelantándose, los ojos entornados, mirándole los labios (incomodísimo), estirando las patas hasta rozarla.

—¿Y qué otros proyectos tenés para tu viaje?

Y ella piensa: atarme un yunque al cuello y tirarme al Río de la Plata, hacerme el harakiri con un facón (cuchillo gauchesco oxidado), masticar escarapelas de latón con alfiler de gancho (imperdible) incluido, suicidarme a la Argentina, che, para que se note dónde nací y me entierren cantando el himno, donde me pise el ganado (¿las reses?), terminar con

Felicitas Coliqueo, pero se limita a esbozar una sonrisa cobarde, total, para qué, y él, cada vez más cercano:

—¿Qué te parece si nos vamos a ver una película? Enfrente, en el San Martín, no sé si te acordás —(claro, boludo [gilipollas], me acuerdo de cuando lo construyeron)—, están poniendo un ciclo de cine neozelandés, interesantísimo. Si te parece, después cenamos algo.

Pensamiento de Viviana: ¿los neozelandeses son interesantes y yo no, porque no «parezco» argentina? ¡Anda y que te folle un pez, que tiene la cola fría!

Dificilísimo de traducir, imposible casi. Intentémoslo por partes:

folle: coja (sexual);

cola: pito (miembro masculino, vaya).

El doble sentido de «cola» en castellano peninsular hace que el juego de palabras no tenga ninguna gracia si uno está sentado a la mesa de una librería, tomándose un café, en plena calle Corrientes, mientras una criatura desharrapada te pide unas monedas por décima vez y escucha lo que está escuchando Viviana y para colmo, no puede alejar su rodilla de la del editor porque las mesas son demasiado chicas (pequeñas) y, si se mueve, su rodilla (la de ella) corre el riesgo de quedar embutida entre las piernas de él, y la cosa se interpretaría, entonces sí, como una provocación abierta.

Cinco años, piensa Viviana, cinco años trabajando en este manuscrito y tengo que oír lo que estoy oyendo: allá, que es demasiado argentino; en Argentina, que es demasiado español. Tendré que conformarme, tengo que aceptar la realidad: como escritora, estoy muerta.

Y con diplomacia repite en alto, mientras se levanta (pone de pie), y él le coloca con caballerosidad el tapado (abrigo) sobre los hombros:

—¿Cine neozelandés? Claro que sí, interesantísimo. Me encantaría.

* —Tú mira, pues —insiste Omara, cuando ha conseguido que Jotabé le pague cinco o seis copas—. Si quieres a esa mujer (y la verdad es que no te envidio el gusto), lo que tienes que hacer es un amarre como el que le hizo el guineano a mi hermana. Por eso no se podía escapar, porque la brujería africana es la más fuerte.

»La cosa se hace así: coges un muñeco y una muñeca, los coses el uno unido al otro simbolizando a la mujer y al hombre. Me los haces de trapo, los metes dentro de un saco pequeño, bien apretados. Eso es que están amarrados, es lo mismo que atar a una persona con otra, o sea, por ejemplo, tú y esa blanca patosa que te gusta tanto y que baila sacudiéndose con la gracia de una batidora estaríais atados, sin que nada os pudiese separar, porque solo puede romper el trabajo la persona que lo ha hecho, o sea, tú. Ten cuidado, porque ella queda atada a ti para toda la vida.

Omara se queda mirando a Jotabé con la fijeza de un hipnotizador, intentando transferirle todo el poder de los negros. Hunde su nariz en un vaso y se lo vuelca en el buche, finalmente se relaja y termina la explicación:

—Pues esto tú tienes que hacer si quieres conseguir a esa que te gusta tanto, porque el amor es ciego, y de la que también te agrada la voz porque, a veces, el amor también es sordo.

»Como te estaba contando, eso fue lo que le pasó a mi hermana, que el amarre lo hizo el guineano y ella no podía deshacerlo porque no sabía lo que le pasaba, y él la siguió hasta Senegal, pero eso es una historia muy larga que ahora no voy a contarte. La cosa es que después nos vinimos a España, y aquí nos tuvimos que esconder y, para borrar las pistas, nos pusimos de internas.

Jotabé le ofrece un pitillo, otra copa, otra más, las que quiera, bebe él también. Entre la oscuridad de la sala sus ojos azules y asombrados emiten un brillo intenso. Parpadea agitando las pestañas, se rasca el poco pelo que le queda y, como si el dilema de su vida pendiese de los labios carnosos de la negra, escucha a Omara con la veneración del neófito. Finalmente vuelve en sí y recuerda que está sentado con una dama y que ha olvidado su cortesía. Contagiada por la emoción del momento, también Omara permanece en silencio entre la música atronadora.

En la mesa de al lado hay un hombre de espaldas. Como si le zumbara al oído el silencio de la pareja, se da la vuelta y pregunta:

—¿Y cómo es tu hermana?

Sin importarle de dónde surge la pregunta que le permite continuar con su historia, Omara se vuelve y responde:

—Mi hermana es alta y bastante graciosa. Lo que la hace a ella es la altura que tiene, casi un metro setenta y cinco. Tiene una figura muy bonita, las piernas lindas, como de modelo. Lo que pasa es que antes, en Cuba, parecía un chico. Por qué razón. Porque mi madre, como perdió un hijo y era macho, tuvo a esta y todo lo que le compraba era de varón. Así que estudió electrónica. A veces yo decía: esta niña tiene unos rasgos que parece más tío que tía. En España ya se está refinando, va con falditas y se ve guapísima. Si quieres, un día me la traigo y te la presento. Pero te aviso: tiene un carácter de mil demonios...

* Ya está. En el fragmento derecho del puzle asoman rebordes de nubes. Las dejará para mañana. Separa con cuidado las piezas donde el azul se mezcla con el blanco, admira su obra mientras come un melocotón. Le gustan con la piel, porque la pelusilla le acaricia los labios antes de hincarle los dientes, antes de que el albero de la carne rezume. La niña se pone de pie, distraída huele la fruta, admira su obra, separa algunas piezas en las que aparecen fragmentos de rostros, cabelleras, brazos, una confusión de miembros que, de momento, no tiene ningún sentido. En otra pila coloca perfiles de edificios, aldabas, cortinas, tiradores, ladrillos, adoquines, detalles aislados de lo que poco a poco constituirá una ciudad.

Ya es de noche, su madre regresará pronto. Se acerca a la ventana para ver si llega y ve cómo una mosca zumba golpeándose contra el cristal. Pobrecilla, está presa. De pronto percibe que ambas están del mismo lado y se estremece. Va a la cocina, coge un vaso, atrapa a la mosca, la desliza sobre la palma de su mano, la apoya sobre la mesa y se sienta tranquila a observarla, libre al fin.

* Como escritora estoy muerta, se dijo entonces Viviana, ciudadana de ninguna parte, encerrada en ningún lugar, para qué preocuparse, mejor aceptar que todo terminó, liberarse de la adherencia de Felicitas Coliqueo y volver a ser solamente Viviana. Viviana sola y sin hijos, un fracaso en las parejas desde que la suya desapareció, Viviana, delgaducha, bajita y rubia, insignificante de muchacha, ahora no tanto porque parece más joven, nadie le daría más de treinta y seis o treinta y siete. Como escritora estoy muerta, repitió frente al espejo del baño, mojándose la cara sudorosa, basta, fin,

the end. Este es el final de ese seudónimo que tanto tiempo le había costado pensar o crear porque, para escribir, ella no era Viviana sino Felicitas Coliqueo, la cautiva. Al diablo con todo. Nadie se llama Viviana en Madrid, menos aún Felicitas Coliqueo. ¿Y si tomara la decisión de no ser de ningún país, o de los dos al mismo tiempo? Al fin y al cabo, ¿quién tiene la propiedad privada de un idioma, de una nacionalidad?

* —Para estar muerta, gozas de muy buena salud. Qué vas a estar muerta, lo que estás es agotada por el viaje y, por cierto, un poco más gorda: no te queda nada mal —la consoló Marga cuando se sentaron a descansar, envolviéndola en una protectora nube de tabaco. Y estirando las piernas—: Mira qué zapatos tan monos me he comprado en las rebajas. Muerta debería de estar yo, que me paso el día pensando cosas destructivas y no escribo ni una línea. —Luego de un pequeño silencio, el suficiente para llenar los pulmones—: Estaba deseando que regresaras para que me dieses alguna idea.

Ya Marga ha cogido (¡retomado!) el hilo de su monólogo, ese monólogo centrado en sí misma que parece perseguirla como la marabunta. Es misterioso cómo lo hace, puede transcurrir mucho tiempo, pero, cuando vuelve a encontrarla, tiene la sensación de que continúa hablando a partir del punto en el que se dejaron de ver. Allí, entre ese aluvión de palabras, nada como en una piscina, chapotea, empapa a los que se le acercan, rara vez escucha. Viviana desconecta y deja que su mirada vague por la pista, la cháchara de Marga, cuyo sentido ya no comprende, suena a su lado como un televisor cuyos canales saltan sin control.

Tras la barra Jamaica las mira, sonríe, sirve copas. Marga, algo arrepentida, se contiene y pregunta a Viviana:

—Y tú, ¿cómo estás? —Marga espera unos segundos, acepta el «bien, bien» por respuesta, continúa hablando; vuelve a detenerse, lanza unas breves palabras de consuelo—. No te dejes llevar por lo que dicen. Estás cansada, echas de menos tu tierra. Ya lo sabes, el corazón viaja despacio...

Se vuelve hacia Viviana y percibe que no la está escuchando, el pelo rubio y liso le tapa la cara como si fuera una niña que no quiere que la vean llorar.

—¡Viviana!

Viviana pega un respingo. Es propio de Marga surgir como un torpedo de entre las aguas de su verborrea para herir a quien tiene a su lado con una intuición sorprendente:

—Que has muerto como escritora. Vaya bobada. ¡En un tono más superficial: casi no bailas, por eso te llevan los demonios, las feromonas se activan con el ejercicio, en voz más baja, mientras le da un codazo entre las costillas, señalando la puerta. Y, hablando de feromonas, mira, mira quién está ahí: dile que te enseñe esos pasos nuevos. Oye, ¿has ligado en Buenos Aires? Porque yo... —Marga volvió a salir despedida, rodeada por el zumbido de sus propias palabras.

Es curioso, piensa Viviana mientras, distraída, se recrea en Ulises, es curioso que me sienta amiga de esta mujer, casi próxima, amiga hasta donde se puede ser amiga de una voz enfrascada en un monólogo y que busca más oyentes que interlocutores.

Poco a poco, la sala se llena de voces. En la puerta, un torneo de miradas, un comenzar, lentamente, a desnudarse. Entre el humo y la música, Viviana sale de su ensimismamiento, deja que un Ulises de sonrisa profesional la rodee con sus brazos, gira mirándole los labios en esta noche que sucede en ninguna parte, gira, y son las voces que se mezclan con la música las que la arrastran con sus historias.

* —Yo hice brujería porque nací en el sitio de La Habana donde más brujería se hace, donde más negros ha habido, donde hay más de esa religión fuerte que viene del África. Así que, cuando supe que mi hermana estaba amarrada al guineano ese, fui a un centro espiritual donde a un señor se le montó un muerto. Eso es que, de momento, el muerto se mete en el cuerpo de otra persona y desde allí habla con su propia voz.

Omara continúa, poniendo los ojos en blanco:

—Se te mete el muerto en el cuerpo y ese día se le montó a un señor que estaba allí y dijo: «Yo soy Asdrúbal», y hablaba rarísimo, como si fuese un político de antes de la revolución, con unas palabras que no entendía ni su padre.

»Entonces el cordón espiritual, que es la reunión de todos los santeros, obliga al muerto a hablar. "¿Quién eres?", le preguntan. Y el muerto, ni pío. Luego le dicen: "Si eres un espíritu de luz, adelante. Si eres un espíritu oscuro, adelante también. Habla, di quién te envió".

»El muerto, que está montado en el vivo, dice quién es y quién lo ha enviado, por qué anda vagando por ahí, qué es lo que quiere.

Cansada de bailar, Viviana se desprende de los brazos de Ulises, se desparrama abanicándose en una silla al lado de Omara:

—¿Qué dices, Omara, qué disparates son esos?

—Tú ríete, blanquita. Pero recuerda lo que te digo. Si me pagas una copa, te doy una receta para quitarte lo que no te gusta de encima: no falla. Y ahora ven, bailemos.

Viviana avanzó hacia el centro de la pista. No le gustaba bailar con Omara porque se movía demasiado bien y no podía concentrarse en la música sino en los pasos de la negra. Pero la mujer la tomó de la mano y le impidió alejarse, Viviana se vio agitándose con una vehemencia que no era la suya, como hechizada, y, ante ella, Omara había cerrado los ojos para dejarse penetrar por la música como si algo la obligara a sacudirse, los hombros, el pecho, las caderas, cada vez más, cada vez más deprisa, más cerca de Viviana, que cede y concede, un ejército de hormigas le sube por la columna, el rostro clavado en esos párpados oscuros, en los labios gruesos y húmedos, más, más, la negra la toma por la cintura, Viviana ya no recuerda nada, se le está derritiendo el cuerpo al son del bongó, le parece que la negra la está besando, debe de ser una alucinación porque no la ha tocado, son sus caderas locas que giran en un paroxismo sonoro, más, qué rica que estás, quiere detenerse y no puede, quiere marcharse y no puede, Omara está empapada de sudor, apoya los dedos en sus sienes como si le explotara la cabeza, como si fuera a perder el sentido, y Viviana la detiene, basta, basta, Omara, la lleva al baño, le moja el rostro, la negra hierve, de pronto se enfría y empalidece, parece que se va a desmayar, los ojos blancos entre los párpados apenas entreabiertos, vamos, Omara, te llevo a la mesa, parece que te va a dar algo, y se van las dos juntas hasta la barra, Viviana menuda y rubia soportando a la negra inmensa y Jamaica, cuando las ve acercarse, se estremece, pero comprende que ya es muy tarde para decir nada, y, mientras le sirve una copa a Omara, luego otra más, le susurra al oído:

—Parece mentira, Omara, parece mentira que todavía te entregues de esa forma. Con la edad que tiene, no estás para brujerías.

* Viviana duerme mal, inquieta, tiene pesadillas, no comprende qué sucedió en el baile, qué se transformó en ella, se levanta varias veces, se moja la cara y se mira en el espejo desde donde un rostro que no parece suyo la observa, se cepilla los dientes para quitarse ese sabor a tierra que le dejó el humo, tose y jura que no volverá a fumar, luego vuelve a dormirse y sueña con Omara en un sueño inquieto y convulso, recién cuando se asoma el sol y una mañana fresca tiembla sobre la ciudad consigue quedarse tranquila, bajo la luz mortecina puede por fin dormir y se levanta ya tarde, se mira en el espejo, tiene un aspecto espantoso, de fantasma, lanza una bocanada de vapor que borronea su imagen y allí escribe con un dedo «Felicitas Coliqueo», luego con la manga del pijama tacha el nombre, lo olvida, regresa a la cama, intenta dormir y lo hace, ligera, libre al fin.

* Son ya las diez cuando Marga, con resaca, arrepentida porque al regresar ha encontrado a su hija durmiendo sobre el puzle, camina nerviosa, toma apuntes, va y viene de la nevera al ordenador, del ordenador a la nevera: primero un yogur, luego aceitunas, el dedo en la nata montada de la tarta. Un topicazo, Marga, escribe un topicazo, que nadie te pide otra cosa, hay miles de libros en las librerías como el que tú quieres escribir, por qué te complicas tanto. Se chupa el dedo y está por lanzarse sobre el teclado, sí, lo juro, señor juez, estaba por lanzarme sobre el teclado llena de inspiración cuando sonó el timbre y me trajeron ese jarrón enorme que compré casi sin darme cuenta en un anticuario que iba a cerrar. Lo hice como si fuera una zombi ese día que el cabrón de mi ex se llevó a la niña por un fin de semana y me la devolvió llena de granos porque

la alimentó a base de donuts y helados, con dolor de cabeza después de las tres películas continuadas y las frasecitas ingeniosas que le lanzó la nueva mujer de su padre, quien sigue celosa aunque esté embarazada, así que la niña llegó deprimidísima, tarde, y la voz en el telefonillo, la voz de él:

—Ahí va la niña.

—¿Y cuándo vuelves a buscarla?

—Cuando ella quiera, mujer, cuando ella quiera. No hay que forzar las cosas: deja que me llame.

¿Por qué le habla en ese tono? ¿Cuándo dejará de darle clases? Claro, no hay que forzar las cosas. Pero ¿tiene el próximo fin de semana libre, sí o no?

Y la niña histérica porque no ha hecho la tarea, protestando porque no hay fruta, porque no, de ninguna forma, va a cenar jamón, y ella (Marga) trazando mapas sobre la mesa de la cocina casi hasta el amanecer, dibujando ríos mientras piensa en ahogar a su ex, en despejarlo como a una incógnita, analizarlo sintácticamente, no, señor juez, ese día tampoco escribí ni una línea, al siguiente tampoco, estaba muerta de sueño. Y, por cierto, ¿sabe usted cuál es la capital de Yemen del Sur?

* Que el niño haya nacido blanco simplifica las cosas, pensó Jamaica cubriéndose con la sábana, pero no elimina todos los problemas. Ni de vaina. Y ahora Omara también se meterá en un buen lío, está segura. Vaya, ni que su obligación fuera hacerse cargo de todo lo que pasa en el local.

Se frotó el pelo cortísimo y las ideas locas de la noche se fueron de su mente, al fin y al cabo no era su historia, cada cual con su mochuelo, y se acercó a la puerta del baño.

Allí se detuvo unos segundos, con la mente en blanco, miró por fin hacia la cama, donde dos cuerpos jóvenes yacían dormidos. La espalda de Alexis, bronceada por el sol del Mediterráneo, era un bello entramado de músculos y vértebras que subían y bajaban con la placidez de su aliento. La mano del griego, que había reposado sobre su nuca durante la noche, tocaba la cabeza rapada de Ulises, quien se había acurrucado, en posición fetal. Sobre las sábanas blancas, el cuerpo del negro era de una belleza imponente.

Thais estaba de viaje, así que podía pasearse por la casa desnuda sin que su hija la mirase con cara de espanto. No lo hizo. Lo que bien disimulaba la noche lo describiría el alba, la precisión acusadora de la luz era capaz de sumar información a lo que en la oscuridad se convertía en tacto. Envuelta en la sábana, descorrió las cortinas, abrió los postigos y se asomó a la ventana del salón. El pobre arbolillo estaba recubierto ya de hojas doradas. Olvidando el calendario oficial, el otoño llegaba temprano. Las hojas, secas en su perímetro, aún se mantenían sujetas a las ramas. Tenía la luz del alba una extraña tonalidad entre azul y verde que daba a la habitación un tono marítimo, como si se hubiese encerrado allí el aire de un acuario.

Se asomó a su alcoba para observar a los dos hombres que dormían. Entre la respiración de ambos se establecía un ligero contrapunto, las espaldas se elevaban y descendían armoniosamente.

—Qué hermosos, qué hermosos son los hombres desnudos...

La misma luz que cazaba los defectos de la piel de Jamaica era un gloria hosanna aleluya al rebotar sobre la de los dos muchachos, horadando la sombra de los poros, el secreto de las ingles, la redondez de nalgas y hombros.

Cerró la puerta de la habitación y fue hacia el teléfono. Era temprano todavía, y tal vez Julio no hubiese llegado a su oficina. Hablar con Julio a espaldas de Gloria era incómodo, pero ¿de qué otra forma podía ponerlo al corriente del pedido de los gemelos, de las exigencias de la carta? La intuición de Ulises había sido sorprendente, y la carta que había recibido le indicaba que era mejor guardar silencio. Había que darse prisa, antes de que sucediese algo que escapara por completo a su control.

Sí, llamaría a Julio y lo citaría en Los Bongoseros de Bratislava. Entre tanta gente, ¿quién podía notar su presencia? Hacía semanas que Gloria no aparecía por allí. Si ella se mosqueaba, si se levantaba la perdiz, ya inventarían algo. Al fin y al cabo, era por su bien.

Se vistió deprisa. En silencio cerró los postigos para que no entrase la luz, corrió las cortinas y, también en silencio, cerró la puerta del apartamento por fuera, con triple llave, dejando a los muchachos dormidos.

Cabía la posibilidad de que no despertaran hasta media mañana y, para entonces, ella habría regresado. Al fin y al cabo, no era para tanto, solo una ligera precaución: ninguno de los dos era capaz de hablar con Julio sin irse de la lengua, sin enmarañarlo todo, sin dar a entender, con sus miradas o con sus pullas, que sabían algo, sin dejar flotando en el aire alguna frase que despertase sospechas. Los dos detestaban a Julio aunque casi no lo conocían, odiaban sus modales contenidos, el traje que llevaba, su forma de peinarse, hasta sus bigotes odiaban.

Puros celos, se dijo Jamaica.

Además, dentro de la nevera había comida. Y ya encontraría algo que decirles a su regreso.

* Si estaba echada la llave era porque su madre no había regresado aún. Thais entró con la maleta en la mano con una idea fija en la mente: dormir. Por simple rutina, llamó dos o tres veces, luego atravesó la sala, entreabrió los postigos y todo se iluminó con la triste grisalla del amanecer. Nunca le había gustado esa hora; la luz, blanquecina y hostil, auguraba un día demasiado largo. Pero era sábado y podría descansar hasta tarde.

Se asomó a la cocina. Nadie parecía haber desayunado y, dado el orden que reinaba, era probable que Alexis hubiese partido al fin. Encendió la radio mientras se preparaba un zumo de naranja y comenzó a quitarse los zapatos, el cinturón, aflojó el severo moño que contenía su cabello castaño, desabrochó uno a uno los botones de su blusa y echó la cabeza hacia atrás para beber lo que quedaba en el vaso, pegó la lengua al cristal intentando atrapar una pipa y estaba a punto de prepararse un bocadillo cuando un cauteloso crujir de tarima a sus espaldas la hizo darse la vuelta y quedar enfrentada a un negro tremendo que, frotándose los ojos, salía bamboleándose y completamente desnudo de la habitación de su madre.

* —Omara, Omara —susurró la voz en el alba—, te llamo desde el más allá. Déjame entrar en ti, Omara.

—¿Quién eres?

—Felicitas Coliqueo.

—No conozco a ninguna Felicitas Coliqueo. Déjate de pendejadas. Estoy dormida. He bailado con demasiado entusiasmo y ya no tengo edad.

Omara se dio la vuelta en la cama, se tapó la cabeza con la manta e intentó cambiar de sueño. Pero la voz continuó:

—Duerme la que duerme la que duerme. Y quédate quieta de una buena vez, que así no puedo.

—Y una mierda. Que se deje tu padre. Tengo que madrugar y me da que tú eres una muerta más pesada que el guineano ese que se casó con mi hermana. Vuélvete al lugar de donde partiste, aquí nadie te llama.

—Omara, no podrás escaparte de mí. No te pido que claves alfileres en una muñeca de trapo para que alguien sufra dolores, ni que vayas al cementerio y cojas tierra para ponerla en una jícara, ni que escupas aguardiente sobre una tumba, ni te pido que degüelles una gallina negra. Solo te ruego que me prestes tu voz. Necesito tu voz, Omara, estoy atragantada de palabras.

La negra espantó el sueño de un manotazo, se dio una vuelta en la cama, otra más, y siguió roncando.

Afuera es el alba un arrebato de presagios: una calavera estornuda en su sepultura, una mujer negra alumbra un hijo albino, tres cerdos entran en una iglesia. Todo está convulso menos Viviana, que, lejos de allí, ha conseguido por fin un sueño tranquilo y sin imágenes, desnudo como el sueño de un recién nacido.

* Aunque el sol ya había cruzado el horizonte, Omara seguía recordando su sueño como si continuase dentro de él. Maldito ese don suyo para la brujería, maldita esa facilidad. Vio las trenzas apretadas de su compañera de habitación que emergían entre sábanas blancas y se quedó quieta un momento, por miedo a despertarla. La mujer bufó, abrió los ojos al vacío y volvió a cerrarlos, cubriéndose la cabeza por completo, haciendo que las bolitas que adornaban su cabeza entrechocaran con un crepitar de fuego. Su compañera de

piso era una dominicana gritona y desordenada que trabajaba por las noches en un bar de alterne, cuya mayor virtud era que partía cuando Omara llegaba a casa.

Ahora tenía que ir a trabajar. Desde Móstoles a Aravaca hay un trecho y los niños entraban temprano en el colegio. Antes de llevarlos había que comprar el pan, preparar el desayuno, airear, sacudir edredones, todo ello mal dormida, con esa pesadez de fantasma mal digerido en el cuerpo y el miedo a que, sin comerla ni beberla, se le montase esa maldita muerta y su señora la pusiese de patitas en la calle. Y, si se quedaba sin trabajo, se quedaría sin papeles.

De puntillas se dirigió a la cocina, cogió un lápiz y un cuaderno; apoyada sobre la lavadora, escribió con sus letras grandes y redondas: «Felicitas Coliqueo». Bebió un café con mucho azúcar, arrancó la hoja, hizo picadillo el papel sobre la borra del café mientras murmuraba:

—Lo que borra, borra.

Metió también el amasijo en la cubitera y, cerrando los ojos, suplicó:

—Que se borre y se congele el fantasma, todo a la vez. —Y en un cuchicheo—: A ver si te calmas, Felicitas Coliqueo, a ver si me dejas en paz. Para que me monten muertos estoy yo esta mañana.

* Después de una noche de pesadillas y de un amanecer tranquilo y blanco, Viviana y se levantó de la cama mojada en sudor. En la ducha recordó las palabras de Omara: «Si quieres que algo deje de hacerte mal, tienes que congelarlo. Lo escribes, lo metes en una cubitera y ya está. Por el consejo, solo te cobro una copa».

Se puso las bragas y una camiseta antes de sentarse frente al ordenador. La mañana estaba fresca. Pensó por unos segundos en Omara, pero, cuando se encendió la pantalla, ya la había olvidado. Concentrada, comenzó a teclear, a escribir las palabras que desde hoy dejará morir de desuso, de olvido. Con ellas desaparecerán los paréntesis, las confusiones, la traducción, pero también desaparecerán los objetos de la infancia, cierta luz oblicua del atardecer, la humedad de Buenos Aires, ese resplandor del crepúsculo austral, retazos de una vida que se quedó lejos, pegada a otras calles, a miles de kilómetros, como una sombra clavada en el asfalto que se negaba a seguirla.

Demasiado española, le dijeron. Está bien. Que así sea. Fascinada lee la enumeración, duda, se decide, agrega algunas palabras más. Luego juega a organizarlas. Las que tienen ch: *canchero*, *palo borracho*, *ponchada*, *chinchulín*, *choclo*, *chanta*, *vincha*, *bombacha*, *chinchudo*, *chupamedias*. Las relacionadas con su infancia: *birome*, *barrilete*, *ñata*, *zoquete*, *hamaca*, *escarpín*, *calesita*. Las que viven al aire libre: *tero*, *jacarandá*, *quinoto*, *ombú*, *escuerzo*. Las que hacen reír a los españoles: *pollera*, *canilla*, *vos*, *boludo*, *banana*, *fierro*, *sismo*. Las que confunden en la convivencia: *durazno*, *auto*, *heladera*, *carozo*, *escobillón*, *lavatorio*, *encendedor*, *calefón*, *anteojos*, *corpiño*, *computadora*, *campera*, *bretel*. Las que tienen que ver con el ADN nacional: *panza*, *morfar*, *trucho*, *vereda*, *garúa*, *fiaca*, *quilombo*, *psicopatear*, *mina*.

Imprime la lista. Meterá el papel en una cubitera, en el fríser (congelador), y allí se quedarán quietecitas (tranquilitas), hasta que se aclare.

Palabras inútiles, palabras borradas del mapa, pobres palabras exiliadas; y pobre de ella también, obligada a vivir en otra lengua: desde ahora su idioma será clandestino, un boca a boca, una clave secreta. Y, poco a poco, se irá disolviendo.

Más tarde se irá a bailar, a bailar en el entierro de las palabras, congeladas y no cremadas, qué más da.

*Julio estaba sentado en la oficina cuando recibió la llamada de Jamaica. Fue por la mañana, a primera hora, y desde ese momento no ha dejado de pensar. Ya es tarde. El sol se ha clavado en el medio del cielo y espejea contra los enormes ventanales del edificio inteligente. A sus pies, Madrid es un animal aplastado por el calor que duerme la siesta; mientras contempla la quietud de la calle recuerda cuántas veces miró por esa ventana sintiéndose importante, alto, aupado en una atalaya desde la que se controla el mundo. Ahora ha perdido las riendas de todo, y no sabe qué hacer. Vuelve a sentarse tras la amplia mesa, estudia la foto de Gloria, la acaricia delineando su silueta con un dedo. Luego observa la que ha sumado hace unas semanas, en la que ambos sonríen con el niño en los brazos. ¿Estará actuando bien? Nunca en su vida se ha sentido tan inseguro.

Saca las fotografías del marco y se las mete en el bolsillo de la americana. Jamaica se las ha pedido. Luego aclaró:

—Te lo aviso, Julio, es mejor que lo tengas claro desde ahora: hoy exigen fotos, mañana será otra cosa, así que tú decides. Esos son más duros de roer que sancocho de pato. En cualquier momento va a ser difícil seguir ocultándoselo a Gloria. —Y luego de un silencio ominoso—: Necesito verte.

Entre los cientos de llamadas de empresas, entre las voces anónimas de la mañana, el tono de contralto de Jamaica lo sacó de la monotonía y le sonó inquietante. Nunca había pensado en ella como mujer; pero, en estos días, Gloria estaba tan esquiva que se sentía solo. A pesar del niño. Era como si ella, sin decir una sola palabra, lo expulsase continuamente de su lado. El niño y su esposa se habían encerrado en una pompa cuya fina pared lo dejaba fuera, a solas con el peligroso secreto.

Y Gloria, ¿qué sabía Gloria? Era imposible que conociese la verdad. Entonces, ¿por qué había exclamado «es blanco» cuando nació el niño, por qué huía de él como si lo detestara?

En fin, inventaría una cena de negocios e iría esta noche a Los Bongoseros de Bratislava como le había rogado Jamaica. Gloria también pensaba cenar fuera.

—¿No te importa? —le había preguntado en el desayuno—. Me llamó Luismi.

—En absoluto. Necesitas descansar, ver otras caras, llevas semanas encerrada en casa. Además —dijo, dándole la espalda para que ella no entreviese el engaño—, yo también tengo que hacer. Me espera una de esas pesadísimas cenas de negocios.

A Julio lo ruborizó el engaño. Ella, que estaba untando con mantequilla una tostada, no levantó los ojos ni pareció notarlo. Así, encerrados cada uno en su propio secreto, decidieron, por primera vez, llamar a una canguro.

* Es tarde. Las calles, antes en penumbra, se han enjoyado de luces. Hace días que el verano se comenzó a diluir en otoño y un aire vivificante llega desde la sierra. Aún no se han encendido las farolas cuando algunas puertas se abren y dejan surgir parejas del brazo vestidas con trajes de noche,

apresuradas por llegar con tiempo a algún lugar maravilloso. Una jovencita, maquillada como una vedette, monta a la grupa de la moto de su novio, apoya la cabeza en su espalda, se abraza a su cintura, parten dejando que flote por la calle un humo más denso que la noche; conforme se aleja el rugir del motor, van difuminándose en la penumbra.

Ya está oscuro. Marga se frota los brazos, entra, baja la persiana. Esta noche no tiene nada que hacer, tal vez vea un poco la televisión. La niña duerme en casa de una amiga y entre las paredes se encierra un silencio ominoso. No, no tiene que angustiarse, debe aprender a estar sola. Se tiende en el sillón rojo, enciende un pitillo, consigue vaciar la mente de los fantasmas que la persiguen y, poco a poco, se adormece. De pronto suena el teléfono. Con el corazón palpitante de una jovencita, corre hacia él sin demasiada conciencia, casi tropieza con el jarrón azul. ¿Qué hora es?, ¿quién puede llamarla un viernes, tan tarde?, ¿qué mano tendida tirará de ella hasta auparla desde ese pozo de soledad?

* A Gloria le parece mentira salir un viernes por la noche. Julio ha partido temprano; la canguro, una estudiante de psicología que le recomendó Marga, apareció enchufada a unos auriculares, sonriente y tarde, el pelo en cresta teñido de azul y perforaciones en todas las salientes visibles de su cuerpo. Algo inquieta, Gloria comprendió que ya no podía cambiar de planes; para tranquilizarse se dijo que hoy todas las jovencitas visten así y llamó a un taxi.

—Estás muy guapa —dijo Luismi, en cuanto la vio asomarse por la puerta del restaurante. Y, besándole la mano—: ¿Qué tal el niño?

Gloria estaba a punto de abrir la boca cuando él continuó:

—¿Bebes algo? —Y, cogiéndola del brazo, le murmuró al oído—: Por cierto, lo de Begoña va cada vez peor.

Gloria se parapeta tras una amable trinchera de hostilidad, piensa: si él no me deja hablar, yo tampoco.

A partir de este momento la conversación se desarrolla como en un diálogo de espadachines, como en un guion teatral. Al menos Gloria, a la mañana siguiente y con un fuerte dolor de cabeza, la recordará así:

Luismi (se mira las manos, cubiertas de anillos de motero): ¿Las sortijas? Depende de con qué las uses...

Nuria (que tiene un traje negro monísimo, minimalista, *haute couture*, un pastón): ¿Qué pensáis hacer para fin de año? ¿Lo pasaremos juntos, como siempre? Espero que el niño... Vámonos a Turquía, con esos musulmanes guapísimos que no festejan con arbolito... (saltitos de placer, palmaditas, pendula el larguísimo collar de nácar y plata, se alborota el flequillo rubio, se le eriza el cabello de la nuca cortado acero). Con el pelo así, me puedo disfrazar de hombre. ¿Pedimos la cena?, ¿algo para picar?

Gloria la mira. Tiene un tipo estupendo, pechos de adolescente y larguísimas piernas. Ella ha engordado un poco. Sí, ha engordado.

Luismi: Esta sortija la compré en Berlín... (venteando la carne joven) ¿Vacaciones?, ¿tíos guapísimos?, ¿dónde?

Gloria: Pues mira, el niño...

Nuria: Claro, claro. El niño.

Coro de amigos (risitas, intercambio de miradas, gestos de piedad).

Luismi: Que se lo quede Julio, que es un santo. Apárcalo, regálalo, qué sé yo. Vente. Será genial. ¿Un poquito de *foi d'oie*?

Gloria (debo controlarme-debo controlarme-debo controlarme): Y tú, Paula, ¿en qué andas?

Paula: Estoy súper (chás, chás, la larga cabellera oscura hacia un lado y hacia el otro). Tengo dos amantes. Uno diez años mayor y otro diez años menor. ¿Y tú?

Gloria (silencio).

Paula: ¡No me digas que sigues monógama! De a dos, los hombres son más llevaderos.

Gloria: Para que veas, yo también tengo dos hombres que tienen entre sí muchísima diferencia de edad, cincuenta años, para ser exacta: Julio y mi hijo.

Paula: Quién te ha visto y quién te ve. Con lo mona que eras...

Gloria: ¿Que era?

Paula (tartamudeando un poco, incómoda, la cabellera oscurísima lloviendo sobre sus hombros): Es que te veo un poco... desmejorada (y se contempla en un espejito, peinándose las cejas con un dedo). ¿Tienes problemas en el trabajo?

Gloria: Qué va, si todavía no he vuelto al trabajo. Es que estoy... algo cansada. Mi hijo, sabes...

Luismi (llenándose la copa por cuarta vez): Cómo se te ha ocurrido. Por cierto, volviendo a lo de Begoña...

Nuria (algo enternecida, mordisqueando las bolitas de nácar del collar, rascándose con sus largas uñas rojas la nuca): ¿Y cómo te las arreglas con el niño?

Gloria (una oportunidad, de carrerilla): Al principio mal, luego regular, ahora algo mejor. Hasta que le comiencen a salir los dientes...

Paula: Blackie me lo muerde todo. Me ha destrozado el tapizado del sofá y se está comiendo también el del coche nuevo.

Luismi: Qué risa. Esos perrillos minúsculos solo los tenéis las mujeres superheterosexuales y los hombres superhomosexuales. Me voy a comprar uno (risitas).

Paula: Luismi, que te frían.

Luismi (muy femenino, línea áspid): ¡Qué barbaridad, cómo se os ocurre parir a las mujeres, con la cantidad de niños que hay en el planeta!

Gloria: ¿Y por qué no adoptas uno tú, guapo? Si estás forrado... Anda, haz la prueba y deja para las pobres mujeres como yo una experiencia tan antigua. Adopta un niño, Luismi, es divertidíiiisimo (la iii suena como el roce de una uña contra una pizarra).

Paula (peinándose con una mano, imperturbable): Yo, con Blackie, tengo suficiente. Por cierto, ¿os he contado que la pobrecilla está estreñida?

Gloria: Pues yo no tendré que pasarme la vida sacando a mi hijo a mear a la calle...

Paula (*touchée*): Oye, guapa, estás un poco agresiva...

Gloria: ¿Agresiva yo? Qué va. Ahora mismo desmonto el patíbulo.

Luismi: Lo de la dentición es terrible. Mi madre dice que yo lo pasé fatal. Lo que tienes que hacer es quedarte todo el día con el niño y acunarlo.

Gloria: ¿Y mi trabajo?

Luismi: Haberlo pensado antes, bonita. Sois todas iguales, con cualquier pretexto abandonáis a las criaturas. (Pucheritos de Luismi, probables recuerdos de su propia e insatisfactoria niñez.)

Paula: No, no, lo que tienes que hacer es no cogerlo nunca jamás en brazos. Yo, a mi Blackie...

Luismi (dando palmaditas): Vamos, chicas, vamos, os ponéis como leonas. Vámonos de aquí, esto parece un funeral. Venga, unos meneítos: a bailar salsa. Hay un sitio, en los bajos de Azca, super *under*, al que va tooodo el mundo. Por cierto, la pobre Begoña...

PAULA: ¿Salsa?, ¿dónde?

LUISMI: En Los Bongoseros de Bratislava.

* Son las dos de la mañana y el local, que está a tope, huele a polvo, a sudor, a perfume, a tabaco. Con paso de diva Luismi irrumpe, se detiene sorprendido ante una negraza con los ojos en blanco que recita algo con un tono de letanía. Tiene una voz gruesa, clara y fuerte, es imposible no escucharla. Luismi se acerca a ella y la oye extasiado:

—Soy Felicitas Coliqueo, la cautiva. ¿No ven mis cabellos rubios y mi vestido andrajoso, no ven, a pesar del sol que me castiga, el tono ebúrneo de mi piel?

—¿Qué quiere decir «ebúrneo»? —pregunta Paula, mientras se quita el chal.

—Jesús. Está loca. —Luismi ríe, santiguándose entre un destello de sortijas—. Qué divertido.

Más que divertido, Luismi está inquieto. La voz parece haber atravesado miles de kilómetros para sonar allí, en la sala atiborrada, frente a él.

Y Nuria, que también la observa, mordisquea su collar, se rasca la nuca.

—Esa negra habla en argentino. —Más bajo, a Luismi—: Los argentinos dicen muchas cosas en inglés o en francés. Por ejemplo, al jersey le dicen sweater.

—Ebúrneo no es inglés ni francés, Nuria, no seas burra. Es castellano rancio.

—Ya lo sé. Lo decía por decir.

—Digo lo que digo lo que digo —continúa imperturbable la negra revoleando los ojos—, soy Felicitas Coliqueo, la de la belleza inmarcesible, la que nació entre encajes, mecida por criadas que cada mañana dejaban entrar por la ventana el aroma del rosal.

—No le entiendo ni jota. ¿Inmarcesible?

Y Omara, con voz temblona, tartamudeando un poco:

—La rosa, la inmarcesible rosa que no canto, la que siempre es la rosa de las rosas...

—¿Qué rosa, Omara, de qué hablas?

—La rosa del negro jardín. La que estaba en el jardín de mi casa en Buenos Aires, junto a la ventana de mi dormitorio.

—¡Qué delirio! —Luismi ríe.

—¡Omara! Soy Gloria, Gloria, ¿me recuerdas? ¿Qué te pasa? —Y a Luismi—: Yo sé quién es, antes de que naciera mi niño venía aquí cada semana a bailar, conozco bien este sitio. Esta negra siempre estaba sentada a la misma mesa, esperando que alguien le pagara una copa; es inofensiva, una buena persona. Venga, Omara, tranquilízate, yo te invito.

Omara no pareció inmutarse.

—Habla la que habla la que habla. Soy Felicitas Coliqueo y esta es mi historia: dispónganse a escuchar.

Un negro pasa cerca de la mesa, la roza con sus caderas y, sin pretenderlo, la escucha, se detiene, la mira, se santigua, susurra:

—¡Se le ha montado un muerto!

Omara bebe como una gallina, lanzando la cabeza bruscamente hacia atrás, embucha el trago de ron que Gloria le acerca a los labios, pero no parece reconocerla. Está lejos, muy lejos de allí: en otro siglo y en otro país.

—¡Omara!

—O'Mahara. Felicitas O'Mahara es mi nombre de soltera. O'Mahara. Así se apellidaba mi padre cuando vivía en Dublín, cuando cruzó el mar que galopa entre los crujidos aterradores del bajel. Llegó hasta el fin del mundo, hasta Buenos Aires, y allí se casó con mi madre. Mi madre era una criolla, ¿sabes? De la más alta sociedad... —Luego miró a Gloria con una complicidad pícara, y susurró—: Éramos muy ricos y, como soy rubia, cuando me raptaron los indios pidieron por mí un ingente rescate. —De los labios le salió una risita orgullosa—: Porque soy rubia y tengo la piel ebúrnea el precio fue muy alto.

Eso dijo Omara en tono solemne, con una voz que no era suya sino prestada y luego, apoyando la cabeza sobre el respaldo de escay rojo, se hundió en el sueño y comenzó a roncar.

—Dios mío, tenemos que hacer algo —susurró Gloria tomándole una mano.

Luismi, bamboleándose ya, asido a las caderas de Paula para formar un trenecito:

—Está decimonónica perdida. Déjala dormir la mona.

* —Pobre mujer. Se ha quedado sin trabajo. Parece que esta mañana, en lugar de acompañar a los niños al colegio, se los llevó a la plaza y se puso a contarles una historia extrañísima sobre un indio en pelotas del que estaba enamorada y que vivía de robar vacas aquí y allá. Luego dijo que estaba casada con otro, pero que prefería al indio porque, al fin y al cabo, todos los hombres son unos salvajes y este, por lo menos, se lo montaba de lo más bien en el fornicio. Sí, dijo fornicio, y algo sobre la concupiscencia y la mancebía. Los niños, por suerte, no comprendieron nada. En realidad,

daba igual, porque Omara ya había empezado a reírse a las carcajadas y a revolear los ojos con cara de loca, a tiritar. La señora, claro, se asustó. Es lógico, ella trabaja, y Omara estaba todo el día sola a cargo de los niños.

—Lo de la historia de la hermana y el guineano, vaya y pase —comentó después por el barrio de lo más agitada—, pero lo del indio desnudo y ladrón es demasiado. Y no me digáis que soy racista, que yo no rechazo ni siquiera a los gitanos.

* —Ha sido muy imprudente citar a Julio aquí —piensa Jamaica mientras recoge copas en una bandeja, dos segundos después de ver entrar a Gloria acompañada por sus amigos—. No se han encontrado de milagro.

La ha juzgado mal. No pensaba que, al poco tiempo de nacido el niño, estuviera ya dispuesta a abandonar la casa para venir a bailar. Está resplandeciente girando en brazos de Ulises, la maternidad y la presencia del negro la han encendido. Por suerte, Julio no sospecha nada.

Lo que se hereda no se hurta, se dice pensativa Jamaica. Tal vez haya sido inútil tanto secreto.

Coge las fotos que Julio ha dejado en un sobre y las esconde en la caja, bajo la bandeja, junto con las cartas. Mañana se las entregará a los gemelos y asunto terminado. Pero está segura de que no acabarán aquí las presiones. Hoy es una foto, mañana querrán una entrevista. Recuerda el origen de esta situación. Han pasado ya cuarenta años, tenía apenas dieciocho cuando conoció a Domitila, la madre de Gloria: dieciocho bellos y rebeldes años. Todo había comenzado en Venezuela, en una urbanización llamada El Paraíso. Pero ahora no es momento de pensar en esas cosas.

La llaman desde una mesa. Antes de ir bebe otro trago de ron y, a través del cristal de su vaso, alcanza a entrever la rubia cabellera de Gloria y la sonrisa espontánea, nada profesional, de Ulises. Mejor así, piensa. Que Ulises ría está bien. Llevaba horas enfadado con ella. No se molestó porque lo hubiera encerrado. Siempre has sido una loca, dijo, y hasta tiene su gracia. Lo que lo puso furioso fue que Thais lo destemplara con sus gritos histéricos tan temprano, cuando lo único que él hacía era ir a la cocina a buscar un vaso de agua.

* Hubiera podido ser mejor, pero no estaba mal del todo ir a Los Bongoseros de Bratislava. Peor era quedarse sola en casa un viernes por la noche. Viviana pasó a buscarla con su coche destartalado, se mantuvo en silencio durante casi todo el trayecto y Marga pudo explayarse libremente, hablar y hablar, contarle lo mal que le iba todo varias veces y en varios tonos, en tecnicolor y con todo lujo de detalles. Cuando terminó con el capítulo de su vida privada, arrancó con la profesional.

—¿Y sobre qué puedo escribir?

Bastaba con tentarla, pensó Marga, con agitar el problema frente a sus ojos y picaría, siempre sucedía así. Viviana no sabía negarse y una sola idea, un solo cabo que tendiese al mar de su confusión podía salvarla. Sorprendentemente, Viviana no solo no se dejó atrapar sino que le espetó:

—No tengo ni la menor idea de sobre qué puedes escribir. Ya no me interesa, con las traducciones me alcanza para mis gastos, no quiero hablar más de eso. —Y, clausurando la conversación, encendió la radio.

Marga no insistió. Habría que pincharla cuando estuviese menos borde y seguro que le sacaba algo. Pero no bien tuvo este pensamiento, se volvió a arrepentir. Era una egoísta, un monstruo.

Ya estaban llegando, Viviana aparcó el coche en los bajos de Azca. La inmensa explanada subterránea que estaba aún llena de coches quedaría pronto desierta y, cuando fuese a retirar el suyo, pasaría un mal rato. Los bajos de Azca parecen el escenario de una mala película de terror, allí se tiene la sensación de que hay un asesino esperando tras cada columna, un gánster oculto en cada coche.

El repiqueteo de los tacones de Marga sonaba como el ansioso tableteo de una máquina de escribir; Viviana, en cambio, llevaba deportivas, caminaban sin hablar por los pasillos de paredes pintarrajeadas, por ese Bronx en miniatura trasladado a Europa, ese latido marginal del corazón de Madrid. Muchachas todas labios y caderas, vaqueros restallantes de masculinidad, puertas que se abren y se cierran dejando escapar el ritmo de la salsa, camellos peripatéticos que negocian en varios idiomas; a esa hora un blanco es sorprendente, camina mirando hacia atrás, viste demasiado sobrio, demasiado caro, demasiado bien. En esos pasadizos que recorren los subsuelos hay una plaza tomada por la población oscura que de día se busca la vida y de noche se junta para bailar.

Cuando las calles callan, cuando el euro ni sube ni baja, una turba de caderas calientes y andares elásticos avanza desde África y América, se apodera de la ciudad.

* Uno, dos, tres, hombro, uno, dos, tres, cadera, cadera, suave, muchacha, que bailas bien, arrímate al negro, mueve

los hombros, canela, azúcar, clavo y café. Así, así, sí, señor, a gozar. Qué buena que estás.

—Ulises, no sigas. ¿No ves el riesgo que corremos?

—El niño es blanco...

—¿Y qué esperabas? No es hijo tuyo...

Ulises sujeta la cintura de Gloria, la pega contra su cuerpo y ella lo siente. El pestañeo de los reflectores bombardea la pista y hace que la cabeza rapada del hombre se tiña de rojo. Acerca sus labios carnosos al oído de Gloria, susurra:

—No me habría importado nada que fuera mío.

Gloria enrojeció violentamente.

—Pues a mí, sí.

Desde que el niño nació, Gloria no ha querido acostarse con Julio. El deseo, antes persistente, ha desaparecido; al principio no le interesaba otra cosa que estar con el niño y buscó mil excusas para rechazarlo. Pero la aparición de Ulises, su olor, su temperatura, la despertaron del letargo. Un hijo de Ulises, sí, le habría gustado. Pero ¿en qué está pensando?, ¿se ha vuelto loca? Basta, basta. Cierra los ojos, se deja llevar. Y entonces su cuerpo se funde con el de Ulises, siente cómo esas manos grandes se deslizan desde la espalda a la cintura, de la cintura a las nalgas, no puede contenerse, no puede escapar, arriba y abajo, arriba y abajo, intenta separarse, no, nunca, nunca un hombre la ha tocado así. Ese cuerpo junto al suyo, lo recuerda, es la memoria inoportuna del tacto que no pasa por la mente. Claro que lo recuerda, ¿cómo ha podido alejarlo un instante de su imaginación? Desnudos los dos: piel blanca sobre piel negra y al revés. Mientras se acopla al ritmo va ablandándose. Creía que todo estaba terminado. Una aventura, se dijo. Nada más. ¿Por qué tiene que dejar de verlo? El negro ha hundido sus labios en la cabellera de Gloria, la respiración anhelante, la tibieza de su aliento la conmueven, también ella comienza a jadear, mete la mano en el bolsillo del vaquero de Ulises, toca su nalga carnosa y dura y lo acerca aún más, está empalmado, quisiera esconderlo entre sus piernas, se frotan las caderas, las pelvis, los pezones, loca, piensa Gloria, estoy loca, Julio, el niño, pero ya está empotrada en él, atrapada por el cepo de su abrazo, de sus músculos, la mano blanca acaricia la nuca rapada, los cinco dedos se abren en abanico sobre las tiernas agujas del pelo y acerca el rostro, los labios inermes, la música va y viene entre los dos como una llamarada, como un rayo, abre los labios Gloria, las lenguas se empinan y luchan como dos animales marinos de vientre azul, encrespadas, ápice contra ápice, él recorre el paladar y su bóveda, ella el cerco de los dientes, la falda de Gloria contra el pantalón va y viene, va y viene frotando una y otra vez, sacando chispas, huele ese extraño perfume a gardenias que emana de la melena de Gloria, él le está tirando del pelo, hacia atrás, le hará daño hasta que exponga su cuello y posará allí los labios en un aleteo carnoso, bajará por el cuello hacia el escote, al nacimiento de los senos, más rápido, al son de la música, frotándose, vientre contra vientre, pelvis contra pelvis, en el abrazo de la música bailan una cópula vertical, un viaje más allá de los límites del cuerpo y Gloria, atravesada de placer, gime, gime y lentamente llora, la sacude un sollozo, apoya su cabeza rubia contra el pecho de Ulises, cuya respiración se ha calmado, y ella comprende, ha comprendido al fin, ya lo sabe: no, no podrá, no podrá escapar, no podrá escapar al son, no podrá dejarlo.

Desde la barra, mientras se sirve otro trago, Jamaica los observa, se pasa la lengua por los labios como un gato goloso, recuerda. Omara, que ya ha vuelto en sí, la mira, se sirve también y dice con sabiduría:

—Todo el mundo goza con lo que goza; pero mira, mi alma, que luego no me vengan con gemiqueos.

Y Jamaica repite, por segunda vez, en lo que va de la noche:

—Lo que se hereda, no se hurta.

*

Dos gardenias para ti
con ellas quiero decir te quiero,
te adoro, mi vida...

Suena la música cuando Viviana y Marga entran en Los Bongoseros de Bratislava, dejan los bolsos en el guardarropa, acaparan la única mesa libre y ven a Gloria, que está sentada, sola, sudorosa, cubriéndose el rostro con un pañuelo. Viviana se acerca a ella, la besa, le pregunta por el niño.

—¿El niño? —responde Gloria, como si no comprendiese de qué le está hablando, y nuevamente comienza a llorar.

—¿Qué te sucede?

—Alergia: el polvo. Y, posiblemente, también falta de hierro. Ya sabés. Cuánto me alegra verte, Viviana, y a ti también, Marga. Ahora me tengo que ir. Os llamo. —Y con el pañuelo aún cubriéndole el rostro, Gloria abandona deprisa el local.

* Al ver quién ha entrado, Jotabé se acerca la mano al corazón para que ese músculo loco no salte sobre la mesa y descubra sus sentimientos; cualquiera habría notado su con-

moción, cualquiera menos Marga, que, despistada, pasa sin verlo.

Entre el buitreo de los hombres Viviana elige, se deja llevar por uno que es una gran sonrisa, pero cuando nota que intenta frotarse contra ella vuelve a sentarse. Detesta que la consideren algo que se expone allí para que cualquier menesteroso la sobe. Está enfadada y triste, tampoco quiere sentarse al lado de Marga, no está de humor para escucharla.

Se queda en una esquina, de pie, y aun así las cosas no mejoran: parece un taxi con la bandera de «libre» en un día de lluvia.

Sí, es verdad que la entristece la decisión de no escribir más. Claro que, una vez que lo supere, vivirá mejor. Se levanta el pelo y lo sujeta en la nuca. Tiene un perfil fino, de mandíbulas marcadas, un rostro definido de polaca de la zona central. Sus cuatro abuelos lo eran, aunque ninguno de ellos sobrevivió a la guerra, y ella se ha sentido siempre profundamente argentina.

Ahora ya no sabe de dónde es. ¿Cuál es de verdad su tierra? ¿La de sus antepasados, aquella en la que nació, o esta, a la que la trajo el destino? Una familia de judíos polacos, sin una gota de sangre americana, judíos polacos que arrastran historias terribles que a ella, de niña, no le gustaba escuchar. Ahora han muerto sus padres y el enigma se cerró sobre sí mismo. Un poco arrepentida, planea un viaje a Varsovia, en verano tal vez, el año que viene. Pero Varsovia fue destruida durante la guerra, los judíos exterminados, allí no quedará ni rastro de su familia...

—Ven —le dice Omara de pronto. Y, como si captara el peso de su tristeza—: Emborrachémonos.

—Mira que no tengo dinero para invitarte.

—Qué tú dices. Con esa cara de después de la guerra, chica, pago yo. A ver si me traes suerte, me he quedado sin trabajo. Y pensar que para esto viajé hasta aquí.

—¿Cómo hiciste para salir de Cuba?

—Estaba lo de mi hermana con el guineano que la quería matar. Yo le dije: aguanta. Y, mientras tanto, empecé a reunir dinero. En esa época yo era maestra por las mañanas y por las noches me puse a trabajar en hoteles y a robar esos jaboncitos; bueno, no solo jaboncitos: todo lo que encontraba me lo robaba. Al extranjero no le pillaba nada; al hotel, todo. Así pude reunir mil ochocientos dólares para el pasaje. Con eso y con otras cosas, claro. Como al salir de Cuba estaba la penalización del dólar, me fui con una blusa con hombreras, les quité la esponja y metí allí los dólares. Muchas privaciones pasé para salir. Antes había embarcado tres veces con los balseros, y tres veces me pillaron.

—Vaya historia. Mira, te voy a dar una cosa que a mí ya no me sirve, una especie de talismán. Puede que te ayude.

Y, abriendo su bolso, Viviana sacó un lápiz de labios y escribió en la servilleta: «Felicitas Coliqueo». Luego la dobló con parsimonia y se la dio a la negra. Omara, impresionada por la solemnidad de los gestos, la desplegó con delicadeza y, al ver el nombre escrito con letras de sangre, gritó: «Jesús», se santiguó y cayó sobre la mesa como si la hubiese alcanzado un rayo. Viviana la miró asombrada pero, como su respiración era tranquila, pensó vaya pedal, le colocó el bolso de almohada para que nadie pudiese quitárselo, tomó su copa y, bailoteando, se alejó.

* —Mal día tiene Omara —murmuró Jotabé, sin perder de vista a Marga—. ¿Qué hará sin papeles y sin trabajo?

Encendió un pitillo con otro y miró con envidia al hombre que bailaba con Marga y que estaba intentando laboriosamente que ella se acoplara a su ritmo. Enternecido con la escena siguió aquel dislate musical, ese bamboleo sin ton ni son, arrítmico y pesado que, lejos de causarle mala impresión, lo conmovió hasta los huesos.

Tampoco él era capaz de dar un paso con gracia. Su mujer había sido una bailarina excelente, él siempre prefirió acompañarla que bailar, admirarla desde lejos, gozar observando cómo giraba en brazos de otro mientras le hacía, cada tanto, un guiño. Fui muy feliz con ella, pensó, y tal vez por eso ahora deseaba repetir. Solo la gente que ha sido feliz persiste en el matrimonio, son los viudos enamorados los que más deprisa encuentran compañera. Eso era verdad, al menos en la teoría. Pero en la práctica... ¿Cómo decidirse, con lo tímido que era? Su hijo se reía de él, de sus gustos. Era un muchacho encantador, pero, desde que se había casado y había marchado a trabajar a Chile, pocas eran las ocasiones en las que se encontraban; cada tanto un correo, una llamada, poco más. A pesar de la muerte de su esposa, no era justo que se quejara. Siempre había estado cerca de personas bien avenidas. Primero sus abuelos, que aun de mayores paseaban tomados de la mano. Sus padres formaban una pareja armónica, también lo había sido la suya y la de su hijo lo era. Así pasaba la vida, pareja tras pareja, familia tras familia. Ahora, por primera vez, se había quedado impar: le quedaba grande la casa, le sobraban los días, le quedaba grande la vida. Todo era demasiado grande para él y necesitaba compartirlo. Abrió sus ojos acuosos y azules y los fijó en la cintura de Marga: así le gustaban las mujeres, rellenitas.

Marga lo estaba pasando mal. El hombre que bailaba con ella era lo mejor que había tenido entre los brazos en los últimos tiempos, ¿qué hacía colocándole la mano justo sobre un michelín? Incómoda, avergonzada, intentó girar al mismo tiempo que él para librarse del abrazo y solo consiguió clavarle un tacón. Amablemente, él esperó a que terminara la música y la acompañó a su mesa. Pero no se sentó con ella.

Bien, bien, pensó Jotabé. Si me atreviese... ahora es el momento.

Encendió un pitillo, otro más, bebió una copa para darse valor, respiró hondo, intentó concentrarse y, cuando iba a ponerse por fin de pie, vio que Marga había recuperado su bolso y su chal y se dirigía hacia la salida. Entonces, meneando la cabeza, murmuró:

—Va a terminar teniendo razón Omara: solo lograré acercarme a ella haciendo brujería.

* ¿Por qué aceptó la propuesta de Luismi de ir a Los Bongoseros de Bratislava? Ahora todo ha vuelto a empezar, hace dos días que no ve a Ulises y ya no piensa en otra cosa.

Comienza el otoño. Pronto regresará a su trabajo, son los últimos días que tiene para su hijo. Salir es una buena idea. Irán al botánico. Allí, entre el verdor, se sentirá como en una isla de murmullos situada en medio de la ciudad, podrá olvidar, alejarse de lo que siente, dejar de preocuparse por lo que va a pasar con ella, con el niño, con su matrimonio.

Pocas cosas le gustan tanto como Madrid en otoño. Los cielos, de un azul persistente, se mezclan con el galopar de las nubes; el sol aún calienta, pero un aire fresco y estimulante da conciencia de la piel, de los sentidos. Madrid huele a campo en otoño.

Cuando comienza a prepararse para salir se da cuenta de que no es tan sencillo. Mejor así, olvidará a Ulises al menos durante unas horas. En su mente organiza la lista: biberón, toallas, pañales, babero, gorro, chupete, clínex, patito, cambiador, sonajero, ropa limpia, mantita, crema, aceite, un libro para ella... ¿Olvida algo? ¡El niño!

Frente al espejo se da un último retoque. No está mal aunque el cabello tiene un tono pajizo. Necesita un buen corte. Toma al niño, lo sujeta al carrito, le cuelga el chupete, abre con una maniobra indecible las puertas del ascensor, suena el teléfono y retrocede (será Ulises, el corazón le late deprisa, qué tontería, si no tiene su número), alguien golpea abajo y grita ¡ascensor! y ella, con el móvil en la mano:

—¿Luismi? Estoy saliendo. El niño..., sabes..., ¿que si me contaron lo de Begoña? Pues no. ¿Por qué desaparecí la otra noche? La alergia, estaba fatal. Ya sé que antes solo me daba en primavera, debe de ser por la maternidad. Perdona, tengo que salir, te llamo.

En el portal, diez escalones, diez. Maldiciendo, coge el carrito en volandas, baja (no ve), llega hasta la puerta, recuerda ahora qué le faltaba. Llama al portero.

—Por favor, ¿puede mirarme al niño y dejarme las llaves de mi casa? Me he dejado el bolso dentro.

—Las llaves sí, pero el niño... ¿Y si le pasa algo?

Otra vez lo mismo en sentido inverso: escaleras, ascensor, llaves, el bolso, ascensor, diez escalones, diez, y, por fin, cielo abierto, calle, nubes, otoño, un ligero frescor en la piel: todo en media hora. Hermoso día. El niño da saltitos de entusiasmo.

—Qué niño tan guapo. Cúbrale la cabeza. ¡Demasiado sol!

Gloria sonríe como si fuese la mensajera del amor universal, no permitirá que le estropeen la mañana. Flotando en el limbo maternal camina cien metros y choca con una selva de andamios. Por la calle pasan los coches a la carrera. Levanta el carrito, el niño le mete un dedo en un ojo, se le cae la bolsa. Ya están a salvo. Los otros bebés son demasiado grandes, pequeños, negros, rojos o blancos, solo el suyo es perfecto. El metro. Un alud de escalones, vértigo. ¿Alguien la ayudará? A esta hora la gente se comporta como un batallón de hormigas que ha sido atacado. Corre, se coloca de lado para que no la aplasten, baja los primeros escalones bamboleándose, el bolso se le cae, ruedan las monedas, el lapicero, el libro aletea hasta llegar al descansillo, sudando entra en el metro, deja el niño aparcado, recoge sus cosas, compra un billete y, cuando intenta pasar por el molinillo, se da cuenta de que es dificilísimo hacerlo con un carrito. Una señora compasiva le echa una mano: el niño se bambolea y ella teme que pierda el equilibrio. ¿Será capaz de penetrar en la masa humana que llena el vagón? Entra; una señora protesta, un joven está a punto de caer sentado sobre el carrito. Está agotada, es hermana de los cojos, de los ciegos, de los paralíticos, de los tartamudos. La ciudad es un infierno, no hay rampas, los coches la apuntan, los baches son precipicios insalvables. En la puerta del botánico, un letrero anuncia: CERRADO POR OBRAS. No, no, no va a ponerse a llorar. Sube la pendiente que conduce al Retiro mientras el niño chilla porque tiene hambre. Se repite: «Esto es un paseo agradable, esto es un paseo agradable». Cuesta arriba, el carrito pesa como un muerto, suda, las ruedas se atascan, junto al estanque se sienta en un bar. Es mediodía y las aguas, movidas por la brisa, dibujan estrías irisadas; bandadas de pájaros motean el cielo emigrando hacia el sur.

—Un café.

—No tenemos.

—Un bocadillo.

—Solo hay bolsas de patatas fritas.

Inspirar, espirar, inspirar, espirar. Ya comerá en casa. El niño se ha dormido bajo la sombra del árbol y ella estira las piernas, coloca los pies sobre una silla, abre el libro, comienza a leer. No puede concentrarse; relajada, cierra los ojos y así su mente dibuja otra vez a Ulises, siente casi su tacto, intenta recordar.

—¿Está sola?

Un ligón.

—Me gustan las madres.

Ya es la hora de comer y el niño se ha despertado. Saca el biberón, lo toma en brazos y oye cómo se va tranquilizando entre suspiros y gorjeos; en el estanque, los patos duermen la siesta. El ligón se ha aburrido y vuelve a abrir el libro. Está en la mitad de la primera página cuando un grupo de niños lanza una pelota y despierta al pequeño. Se remueve, llora. Basta.

Cierra el libro. Dos metros en un día y con un niño a cuestas es demasiado hasta para un levantador de pesas.

—¡Taxi!

—Venga, deprisa, están pitando.

Con el niño bajo el brazo cierra el carrito con un pie, sujeta la puerta del coche, tira la bolsa dentro, coloca el carrito junto al conductor, se le cae el monedero por segunda vez en el día.

—¡Vamos! Y a ver si le pone el chupete al niño.

¡Por fin, en casa! Coge el carrito, lo alza, sube la escalera, diez escalones, diez, empuja la puerta del ascensor como puede, cierra, abre, busca las llaves en el fondo del bolso, ya están, acuesta al niño y se desmaya sobre un sillón.

Ha llegado el momento, leerá aunque sea la otra mitad de la primera página. Mete la mano en el bolso, rebusca: se ha dejado el libro en el parque. No importa. Por lo menos ha pasado un día casi sin pensar en Ulises.

Llega Julio.

—¿Qué has hecho hoy?

—He ido con el niño al Retiro.

—Qué suerte tienes. Yo estoy agotado.

* Esa noche se acuestan pronto, espalda contra espalda, como si fuesen dos extraños que no tienen más remedio que compartir una cama. Meses atrás, antes de que naciera el niño, la mano de él, posada sobre sus caderas, era un contacto tranquilizador que atravesaba la noche.

* Pero Julio, preocupado, no puede dormir. Algo le sucede a Gloria, algo le pasa. Desde el parto se comporta de una manera extraña que en algún momento llegó a justificar y que ya no comprende. No está allí la cuna del niño tras la que ella parapetaba su rechazo; a tientas la busca en la penumbra, intenta verla en la oscuridad, siente el extraño temor de que, tras esa cabellera rubia que se espesa sobre la almohada, haya un rostro desconocido. Tampoco la voz que le ha dicho hasta mañana es la misma, parece haberse convertido en otra mujer. Una noche intentó acariciarla en lo oscuro. Antes Gloria no despertaba, pero, al más mínimo roce de su mano, se acercaba instintivamente hacia él, como si buscase protección. Demasiados años compartiendo una cama hacen

que los cuerpos se alejen o se acerquen como imantados, aun en sueños. Esa noche, cuando Julio quiso acariciarla, tuvo la sensación de que Gloria no seguía allí, que la cama estaba vacía. Ciega en la oscuridad, la mano siguió avanzando hasta que rozó un pecho y ella gimió. La mano se retiró asustada.

Estaba irascible desde la noche en la que él había hablado con Jamaica, en la que había acudido a su llamada en el local. Tal vez todo aquello comenzaba a ser un error: un error escuchar las primeras confidencias de Jamaica, un error engañar a Gloria, un error la entrevista con los gemelos, entregar las fotografías. Acaso debió enfrentar la historia diciendo la verdad desde el principio. Pero era tarde para arrepentirse.

Los gemelos no le gustaban. No podía decir bien por qué, tal vez era porque no podía pensar en ellos como seres individuales; un hilo invisible, una corriente luminosa y secreta los unía y frente a su duplicidad cualquier ser impar se sentía débil y solo.

Él era un hombre tranquilo. ¿Por qué diablos se había dejado envolver en todo este oscuro asunto? No le gustaban los sobresaltos y por eso, justamente, había elegido a Gloria; la quería, le gustaba estar con ella, pero, últimamente, todo se había vuelto impredecible y cenagoso. ¿Qué le pasaba? ¿Acaso lo había visto con Jamaica la noche en la que casi coinciden en Los Bongoseros de Bratislava?

No sabía mentir y se había comportado como un estúpido. Cuando ella le comentó que, después de la cena, había ido con sus amigos a bailar él se sintió pillado y, para disfrazar la inquietud, le respondió con una hostilidad imbécil. Entonces habían empezado a discutir. Él gritó que aún no era momento para dedicarse al baile, que había tenido un hijo hacía poco y que debía llegar más temprano a casa. Gloria, en lugar de responder, se quedó mirándolo con estupor, como si fuese un marciano.

—¿Desde cuándo me controlas, Julio?

Tontamente, Julio profundizó su error:

—No conocías a la canguro. Has cometido una imprudencia.

—Tampoco tú la conocías y también saliste esa noche. ¿A qué viene hacerme responsable? —Y, con un gesto amargo—: Tú querías este hijo más que yo misma. Bastante me ha cambiado la vida. Ocúpate de él y déjame en paz. La semana que viene volveré a trabajar.

Y, dando media vuelta, se encerró en el baño.

* ¿Por qué demonios ese tío buenísimo tuvo que poner su mano justo sobre el michelín? Y ella, ¿no tenía nada mejor que hacer que pisarlo? Qué vida, todo le sale mal. Para colmo se ha quedado sin asistenta y la casa es un caos. Sobre el sillón rojo se desmoronan los apuntes para su novela, el puzle de la niña, los cacharros sin fregar invaden la cocina, la ropa espera que alguien la planche. Marga apaga el ordenador sin haber escrito una sola línea. Viviana sigue en su silencio tenaz, y ella haría bien en suicidarse. Sí, es la única salida. Pero ¿cómo?, ¿saltando al vacío? Ridículo. Vive en un adosado de un solo piso (por qué no se habrá cambiado a una torre) y caerá como un saco de patatas sobre la acera para simplemente romperse una pierna. Fracasar como mujer, como esposa y como madre, incluso como periodista, vaya y pase. Pero fracasar como suicida es demasiado. ¿Y si fuese a arrojarse al viaducto de Bailén? Recuerda que no hay autobuses hasta dentro de media hora. El coche está en el

mecánico y hay que ser vehemente para mantener, en un lugar tan pedestre como la cola del autobús, la decisión de saltar al vacío. Luego recuerda las mamparas de cristal con las que se impide a los suicidas acercarse y volar hacia la nada. Vaya monstruosidad. Ni matarse siguiendo la tradición es ya posible en Madrid. Seguro que están filmando, que hay un teléfono de la esperanza, un programa que se llama algo así como *Siniestro en directo*, un altavoz con una grabación atronadora con la voz del Papa: «*Fratelini la vita é buona, buonissima*», la voz cascada, y ella intentando pasar por debajo de la mampara se traba en los michelines y el periódico, en letras de imprenta: MUJER DE CASI CINCUENTA AÑOS SALVA SU VIDA DEBIDO A SOBREPESO.

En fin, habrá que tomar medidas más drásticas, como tirarse bajo un tren. Al fin y al cabo, no es más que un segundo. Un segundo y ¡paf! Ya, ya se imagina a sus vecinos arracimados en la estación identificando los restos esparcidos a lo largo de la vía: esta pierna con celulitis es de Marga, la del chalé de la esquina, esa a la que abandonó el marido. Y su ex murmurándole al oído a la nueva: «Te lo dije, estaba desequilibrada, una histérica, la pobre». ¡Y una mierda! Muy literario, muy Karenina, pero antiestético a más no poder.

* Fue por mediación de Jamaica como Omara consiguió trabajo en casa de Marga. Marga la conocía bien y no pareció preocuparse demasiado por sus rarezas.

—¿Dices que Omara monologa? ¡Qué más da! Yo también monologo permanentemente. Es la soledad, Jamaica, no tiene mayor importancia. Dile que venga mañana mismo.

—Chévere. Me haces un favor.

A la niña le haría bien conversar con alguien, ahora que su hermano estaba en Londres, y a ella, que pusiese orden en el caos doméstico para dedicarse, de una buena vez, a su trabajo. Lo sabe ahora, lo ha comprendido al fin: no escribe porque la casa está muy desordenada.

La niña. La niña está sola demasiado tiempo esperando a que suene el teléfono y que sea su padre quien la llama para verla. Pero no lo hace. Muy seria, se coloca frente al puzle con esa cara de premio Nobel que se le pone cuando logra encastrar una pieza, completar una escena, pintar las hojas amarillentas del otoño que aparecen bajo el cielo monocromo que terminó la semana pasada. Omara, con esa vitalidad que tiene, le vendrá bien, sabrá sacarla de su mutismo.

* Una mano, una cintura, un rostro. ¿Cómo, en qué orden? Bajo el cielo azul claro cuaja el dorado de los árboles y, tras ellos, los altos edificios. Hay una ventana abierta, se asoma alguien, ¿hombre?, ¿mujer? De momento, solo ha encontrado la pieza que contiene una mano. La niña desgaja una mandarina y, mientras la chupa, mientras el aroma anaranjado le entra por la nariz, analiza con delicadeza los fragmentos de esa pintura que se construye desde fuera hacia dentro (cualquiera sabe que los puzles se comienzan por el contorno que los separa de la realidad), una realidad compleja que parte de un caos inicial y que poco a poco cuenta una historia.

Atardece, se han acortado los días y su padre no llama. ¿Habrá nacido ya su hermanito y se ha olvidado de ella? Su madre ha decidido cambiar nuevamente los muebles del salón: el sillón rojo se lo regaló a una amiga, ese horrible jarrón chino parece vigilarla desde una esquina con su tripa de mandarín. La niña mira la habitación y le parece un puzle mal resuelto en el que las piezas no encajan. Está sentada sobre la alfombra que flota en el centro, una balsa en mitad de la nada. Con su dedo dibuja rectángulos, cenefas, salta de color en color, desde los tonos cálidos a los fríos y piensa. ¿Qué piensa? No lo sabe, no hay imágenes en su cabeza, solo líneas, arabescos. Logra concentrarse y comprende: piensa en los caminos que van de una persona a otra.

Todo está demasiado enredado, se dice. Por eso papá no llama.

La mesa baja, tan cómoda para su tablero, ha desaparecido también. Ya es tarde. Levanta el puzle y lo lleva a su habitación. Saca un chicle que tiene pegado bajo el tablero y comienza a masticarlo. Son deliciosos los chicles viejos: saben a piedra rosa.

* Pasaron semanas hasta que Gloria se decidió a regresar a Los Bongoseros de Bratislava. La primera visita luego de que naciera su hijo había sido muy fuerte, y desde entonces permanecía en un continuo estado de excitación, como si las manos de Ulises se hubieran posado sobre su cuerpo para quedarse allí para siempre, y bastara solo con evocarlo para sentirlas Además, debía regresar al trabajo y solucionar de alguna forma la hostilidad que, sin causa alguna, le ocasionaba Julio.

Pensaba en Ulises, pensaba todo el día en él fluctuando entre el dolor y el placer. Si lograba dormirse, lo soñaba con tal intensidad que se despertaba azorada sintiendo que estaban juntos y a la vez que no podía apartarlo de su mente, se atormentaba con la idea de que acababa de tener un niño. Con Julio estaba simplemente enfadada; era una salida mucho más cómoda que sentirse culpable, y deseaba que él regresase a casa lo más tarde posible, cosa que Julio instintivamente hacía, sin que ella hubiese llegado siquiera a enunciar sus deseos.

En realidad, le habría gustado que Julio desvelase su secreto, que la liberase de él preguntándole qué le pasaba; pero él se negaba a hablar, la miraba atusándose el bigote, aceptaba salidas inexplicables y excusas tontas, no hacía gesto alguno para provocar una confesión. Finalmente comprendió que su marido no movería un dedo y el secreto, agitándose en su interior, se convirtió en una bomba de relojería.

Jamaica llamaba de tarde en tarde. Sin duda había visto todo lo que había que ver aquella noche, un escándalo así es difícil que escapara a sus ojos permanentemente atentos. La llamaba y comentaban vaguedades que no conducían a ninguna parte y siempre terminaba la conversación dejando caer la misma pregunta:

—¿Y Julio?

* Entre destellos de luz avanza el otoño. Gloria se probó las faldas que había usado antes del embarazo y vio que no le cerraban en la cintura. Había aumentado unos pocos kilos y era delgada por naturaleza, pero su cuerpo había cambiado de forma, se ensanchaba, tendía a caer. Decidió no deprimirse. Al fin y al cabo, era una buena excusa para salir de compras y apuntarse a un gimnasio. Llamó a la canguro y se fue. Ya las hojas de algunos árboles estaban en el suelo

y los pasos crujían sobre la crepitante alfombra dorada. Amanecía más tarde y, envueltos en esa oscuridad algodonosa de principios de otoño, los deseos de Gloria se hacían nítidos y cercanos. Pasaba mucho tiempo sola, y eso le servía para pensar.

Julio, Jamaica. Y por primera vez una idea la rondó: ¿estarán liados? Imposible, Jamaica es demasiado mayor. ¿Demasiado mayor?

En unos días cumpliré cuarenta y un años, pensó de pronto. Ya soy inevitablemente una mujer madura; una madre añosa, le habían dicho hasta el hartazgo durante el embarazo. Y Ulises debía de tener, como mucho, treinta. Aunque con los negros nunca se sabe.

De pronto, toda la ropa de los escaparates le pareció demasiado juvenil, fuertes los colores, los modelos atrevidos. Poco a poco declinaba, se dejaba vencer, durante todos estos años había estado caminando hacia arriba, trepando hacia la cima y, sin darse cuenta, había superado el puerto y comenzaba un descenso vertiginoso. ¿Adónde la llevaría? No quiso seguir pensando. Si entre Ulises y ella había diez años de diferencia, entre Julio y Jamaica...

Todo matrimonio suele estar formado por un rey y un mendigo, un profesor y un alumno, un ser delicado y un cavernícola. En toda pareja uno es fiel y el otro no. El fiel en su pareja siempre había sido Julio, así que no tenía por qué inquietarse. Era Julio quien amaba, ella quien se dejaba amar, Julio quien suplicaba, ella quien concedía, Julio quien temía perderla, ella quien estaba cansada de él. Entre ellos había quedado establecido desde el principio que él iba tras ella; pasara lo que pasase, nada podía cambiar esta pauta fundamental. Él daba, ella recibía, él tenía miedo de que todo acabase, ella actuaba de forma displicente y coqueta.

Ella lo había engañado en otras ocasiones y él lo sabía, pero nunca le había recriminado nada. Claro que hasta entonces ninguno de sus asuntos había tenido la menor importancia.

Se detuvo frente a una tienda para hombres. El otoño marginaba en los escaparates saldos de la época del calor y a Gloria le encantaba comprar barato. Vio camisas de colores vivos que podían gustarle a Ulises, camisetas sobrias como las que usaba Julio. Revisando tallas y colores volvió a sentirse tranquila, como si salir de compras hubiese diluido sus problemas. Mientras las cosas se mantuviesen así, no tenía por qué preocuparse; lo importante era que no se alterara el peso de los platillos.

Entonces tomó conciencia de que bastaría, pues, con que ella dejase de engañar a Julio para que fuese él quien corriera en busca de una amante. No era agradable pasar de traidor a traicionado, de verdugo a víctima, de amante clandestina a esposa engañada. Salió de la tienda con las manos vacías y se detuvo frente a otro escaparate. Entró y, distraída, compró un par de calcetines. ¿Para quién?

Caminó por Serrano, vagando sin rumbo fijo, hasta que se acercó a su casa. Los edificios, cuidados y majestuosos, iban desmadejándose poco a poco en la penumbra hasta confundirse con los árboles del Retiro. Allí la noche se había hundido dejando que la ciudad, iluminada por la luz de las farolas, se convirtiera en un escenario casi de cartón.

Llevaba los calcetines en el bolso, y los dejaría en él durante semanas, incapaz de decidir a quién debía regalárselos. Temerosa y audaz, tímida y licenciosa, con Ulises en su imaginación, regresó a casa. Veía el peligro, pero no estaba arrepentida en absoluto. Aunque no había elegido nada para ella, el paseo le había sentado bien.

Sobre la fachada de su casa la noche había cuajado iluminando el rectángulo de las ventanas. En verano el sol caía en vertical y volcaba su luz dentro de la sala. Ahora era el espacio recoleto el que se iluminaba sobre la ciudad, volcando una luz amarillenta sobre el asfalto. Con el niño en brazos, mientras le hacía carantoñas, se asomó al balcón y observó cómo avanzaba la noche entre las copas raleadas de los árboles. Pronto llegaría el invierno.

—Todo pasa deprisa.

Y el sentimiento de su propia contingencia la llevó a asirse a Ulises; tener un amante hacía que viese el mundo desde otra perspectiva, como si el universo hubiese sido estrenado ayer: nuevo el otoño que ya había vivido cuarenta veces, nueva la luz de la ciudad, nueva la calle en la que vivía, las copas de los árboles que poco a poco perdían sus hojas, la ciudad que se albergaba en la noche. El resto, su trabajo, su marido, sus amigas, se convertían, bajo los focos de la pasión, en una película rara, casi sin relieve. Mientras revolvía su armario rescatando la ropa que aún le valía, decidió comenzar ese mismo viernes una dieta y regresar por fin a su clase de salsa.

Atrapar el tiempo, vivir deprisa, exprimir lo que quedara, mojarse los labios con el zumo agridulce de la pasión, disfrutar. Pronto sería una mujer vieja.

* Era el destino el que había llevado a Ulises a bailar salsa, nunca lo hubiera imaginado de pequeño, en la casa de sus padres, cuando se llamaba N'Diaye. El nombre de Ulises había sido una invención de Jamaica, como también su personalidad y sus andares, todo ensayo, teatro puro, y esas muletillas que soltaba cuando le faltaban las palabras: «Qué tú dices, qué tú dices, mi amol».

Jamaica lo conoció cuando vendía en el metro entre otros senegaleses, harto de escaparse de los guardias que le quitaban la mercancía, medio desesperado porque no estaba ya seguro de haber acertado con su decisión de dejar Senegal para venirse a Madrid. Directo a Madrid, aunque tenía un hermano en Venecia y otro en Nueva York, por qué demonios se le había ocurrido venir directamente a Madrid. Pero apareció Jamaica y lo sacó de la pensión en la que malvivía, le buscó una casa en Lavapiés, y le empezó a dar clases de salsa.

—Nunca he bailado esto —le dijo—, soy de Senegal.

—«Eras» de Senegal, chico. Desde hoy, de nueve de la noche a cinco de la mañana, eres cubano. A partir de esa hora puedes hacer con tu vida lo que te dé la gana, pero no te mezcles con las alumnas ni pidas dinero prestado a la gente del bar, porque ahí mismito se nos acaba el trato. A ver, muévete. Sí, cubano, qué duda cabe, con ese cuerpazo. Cubanísimo tú.

Para sí mismo, o cuando soñaba y se quitaba ese nombre tan pomposo, volvía a ser simplemente N'Diaye, nacido en un pueblo de casas de barro y techos de paja, un niño que había trepado a los baobabs y a los sotos en la selva que oscurecía el sol con su espesura, un adolescente que trabajaba de agricultor con su padre en época de lluvias, un simple gozador en la sequía, que disfrutaba tirado en su hamaca cuando ya no quedaba otra cosa que hacer que descansar o montar a caballo hasta los pueblos vecinos para visitar a los amigos.

Claro que echaba de menos Senegal, a su madre, de la que no había vuelto a tener noticias, la tumba de su padre cavada en medio de la selva, las hermanas que se quedaron allí. Echaba de menos su pueblo, había sido expulsado de él por su propia madre: «Tú a estudiar. Eres demasiado inteligente para quedarte en este pueblo. Está decidido: irás a vivir a casa de mi hermana, en Dakar».

Su tía le había pagado los estudios. Y el pueblo le quedaba cada vez más lejos, cada vez más pequeño y ya no habría sabido dormir sobre colchones de paja y tela de saco de cacahuete, ya no habría sabido defenderse de las picaduras del ñagor o del abrazo temible del imu. Ya no sabía nada de nada, no podía volver atrás y no se había despedido de su madre antes de partir para estudiar en Europa porque se lo comía la ansiedad, las prisas, total, pronto tendría dinero y podría regresar.

Ahora, cinco años más tarde, aún no puede pagarse un billete de avión, no sabe cómo volver ni cómo llamar a su madre porque, en su pueblo, no hay teléfonos.

* Así fue como Omara comenzó a trabajar en casa de Marga. Un día, al regresar la niña del colegio, vio que frente a su puzle había una figura gorda, negra y grande.

—Siéntate aquí, no hables —le susurró Omara—: me falta una pieza.

Dejando la mochila sobre el nuevo sofá turquesa que había comprado su madre, en silencio, la pequeña se sentó a su lado.

—¿Cómo te llamas?

La niña la miró con fijeza y no respondió. Y Omara, después de estudiarla unos instantes:

—No me hables si no quieres, no me importa, a mí me gusta mucho sacudir la lengua y puedo hablar por las dos. Te llamaré Nin: te va como anillo al dedo.

Sin responder, Nin se asomó sobre el puzle. El ángulo derecho de la imagen aparecía en todo su esplendor: era una ciudad de altos edificios. En las calles, en las puertas de las casas, una multitud se dedicaba a las más variadas actividades. Estaban todos muy contentos: más que andar, parecía que bailaban.

—Mira —dijo, señalando con su dedo rugoso y oscuro—: estas somos tú y yo.

Era verdad. La niña observó asombrada las piezas que construían el fragmento. Estaban paseando por la calle, de la mano. Recorrió las imágenes con un dedo manchado con tinta, estudió el perfil de Omara y, poco a poco, fue arrimando su cuerpecillo delgado al de la negra, se sentó en sus faldas y encajó otra pieza.

—Justo la que nos faltaba, Nin, eres genial. Por cierto, me quedaré a vivir con vosotras. Puedes llamarme como te apetezca: Omara, Felicitas, o lo que sea. Solo te advierto: nunca me digas Nin, porque entonces me confundiré contigo y no sabré si soy tú o soy yo.

* Y, aunque quería estudiar en cuanto llegara a Madrid, Ulises aún no había logrado hacerlo, porque en Europa todo se iba en conseguir los papeles y él no había pensado en ello, el muy burro, cómo iba a pensar en esas burocracias si en su tierra ni siquiera el campo era de nadie y no hacían falta títulos de propiedad, sino simplemente talar la selva, los inmensos árboles, limpiarla hasta que pudiera verse el sol y remover con el arado, que bien difícil era. Solo el cementerio era de alguien, aunque no estaba talado; pertenecía a los muertos y a ellos nadie les pedía papeles. Allí descansaba su padre. Su madre y sus hermanas, dónde estarían, sin teléfono en N'Dakhar, ni luz, ni agua corriente, otras cosas sí que había, coño, claro que sí.

* Cuando Marga regresó del trabajo, Omara ya se había apropiado de la casa. Desechó la habitación de servicio y eligió una que estaba junto a la de la niña, se sentó con ellas a la mesa a la hora de cenar:

—¿Cenar sola yo en la cocina? Cuando tengas visitas, vale. Los días de diario no, mi alma. Qué tú dices. No he venido a trabajar a esta casa para que me hagas un feo.

Además del cambio de habitación y de costumbres, Omara exigió que se le permitiera llevar a Nin al cine y recibir a sus amigas los viernes de cinco a siete.

—Tú no estás en casa a esas horas, así que no veo qué te puede molestar. No nos sentaremos en tus sillones, ni dormiremos en tu cama, no nos probaremos tu ropa, ni beberemos de tus botellas: la cerveza la pongo yo. A ver si te crees que voy a vivir contigo si me tratas como a una extraña.

Marga no supo qué decir. Conocía a Omara, pero no eran esas sus costumbres. Finalmente, incapaz de dar sus razones, cedió. En la carita suspicaz de Nin se dibujó una sonrisa.

* Es sábado, el único día en el que Marga ve gente en la calle desde la ventana de su adosado. Durante la semana todo parece solitario y, a veces, cuando aparta la cortina ve cómo, desde enfrente, la vecina se dedica a estudiarla.

Marga está en el balcón, es un deprimente día de otoño, la niña ha salido con Omara. En cambio la calle se ha poblado de transeúntes que pasean arriba y abajo; algunos descienden de los coches cargando la compra, otros trotan por la acera vestidos de chándal, aun así dan la sensación de llevar corbata. Los hombres del barrio lavan sus coches mientras escuchan el partido por la radio; desde las cocinas sube un trepidar de tenedores, la mezcla de aromas que sale de las ventanas abiertas se eleva hasta el cielo casi gris del crepúsculo, flota sobre las chimeneas idénticas de los chalés adosados, sobre las calles serpenteantes custodiadas por árboles nuevos y desciende, otra vez, hasta los porches que buscan diferenciarse entre sí con una ambición patética. Cuántas cosas se compran al comprar una casa; su marido, aire puro, aislamiento y estatus. Ahora todo le quedaba a ella, incluida la hipoteca.

Desde lo alto, los hombres se reducen a cabezas bajo las cuales se agitan brazos y piernas, cefalópodos movedizos y peludos. Tiene una idea, enciende un pitillo para premiarse y decide dedicarse a hacer algo útil: va a estudiar las calvas.

* Cabezas, cabezas masculinas, muchas cabezas. Vistos desde arriba, los hombres son claros, vacíos, entramados pilosos que intentan disimular la calvicie. Desde ese muchacho que, sentado en las escaleras de su casa, se rasca la frente intentando un flequillo que oculte unas entradas incipientes hasta el calvo absoluto que ha decidido asumir esa desnudez de nalga, hay una larga fila, una organización por grados y niveles de ocultación, una cuidadosa artesanía. Algunos deciden adelantar el destino y lo afrontan rapándose la cabeza; otros dejan que unos largos pelos ralos crucen de derecha a izquierda cubriendo con surcos de arado la inmensidad de la frente. Hay calvicies de clérigo, tonsuras pudorosas y secretas, calvicies infantiles que rodean una isla risueña de pelo en la soledad de la alopecia. Hay calvas mentirosas que gritan a mí no me importa mientras eluden con envidia a sus contemporáneos que aún lucen toda la cabellera, calvi-

cies inmaduras resueltas con una coleta juvenil, calvas vergonzantes que obligan a la pilosidad resistente a cubrir a fuerza de tirones y gomina los baches. Hay, por fin, amplias frentes intelectuales de gafitas a lo Trotski, dignísimos vacíos con sombrero, cabezas mondas y lirondas compensadas con barbas, calvas hilarantes de entretejido o peluquín. Y las menos: orgullosas como embarazadas, suntuosas como un huevo de Fabergé.

Y también, porque la naturaleza es injusta y gusta de las comparaciones, cabezas de león en un viejo de ochenta que hacen sentir disminuido al joven que perdió el pelo.

*Jotabé está en el baño frente al espejo. Se mira, se estudia la cara, abre mucho los ojos y saca una conclusión:

—No estoy del todo mal.

Baja la cabeza como si se mirase el ombligo y consigue verse la tonsura; qué desastre, cada día tiene menos pelo. Mueve un mechón hacia la derecha, hacia la izquierda. Mejor es no insistir, nada logrará cubrir esa claridad de luna.

—Nunca voy a atreverme a abordarla con este aspecto. Con lo hermosa que es tendrá hombres a montones. Tal vez si no me ve de espaldas..., si retrocedo mirándola..., de frente no se me nota tanto.

Podría llamar a su hijo y pedirle consejo. Pero qué sabrá su hijo de calvas; tiene el cabello de su madre, rizado y fuerte, y se reirá de él. Podría también hablar con la dueña de Los Bongoseros de Bratislava, pero ¿qué le dirá? La mejor solución es Omara. No puede pedirle demasiado por ese favor. ¿Cómo fue que dijo? Un amarre, hay que hacer un amarre: «Es lo mismo que atar a una persona con otra. Están atados y no se pueden separar».

Al fin y al cabo, con eso no hace daño a nadie, y tal vez funcione. Sí, le pedirá que lo haga. Si solo depende de él enamorar a Marga, seguro que mete la pata. Se ruboriza por la idea:

—Ahora me da por la magia... Y pensar que soy ingeniero de caminos.

Pero poco a poco va tranquilizándose, entregándose a las blandas alas del sueño, al conjuro generoso del olvido.

* Eran las doce de la mañana cuando Jamaica se levantó. Después de plegar los postigos, abrió las ventanas y se quedó mirando tras los cristales. A esa hora, la mañana ya parecía gastada, consumido todo su esplendor. En la calle la gente caminaba deprisa, como si se dirigiese enfadada hacia algún lugar al que no deseaba ir. Retrocediendo, se escondió en el silencio de su alcoba, abrió los grifos de la bañera, se dejó proteger por el agua. Así, masajeándose las pantorrillas, frotándose con entusiasmo la cabeza, regresó por fin a la vida.

Mientras se secaba el pelo, los ojos miopes se acercaron al espejo hasta ver qué es lo que encontraban allí. Horror. Si seguía bebiendo, alguna mañana se levantaría con las ojeras por las rodillas.

Prosiguió con su rutina. Primero, un masaje con las yemas sobre el rostro embotado, ejercicios para que los músculos de las mejillas se mantengan en su lugar, gárgaras, colirio, una meticulosa revisión de su dentadura y, por fin, la paleta de un Velázquez para mejorar o esconder. ¿Cuánto tiempo necesitaba ahora para lograr un aspecto más o menos razonable? Antes, le bastaba con cinco minutos. Ahora, qué vaina, todo eran trampas, secretos.

En alguna medida, pensó, todos los secretos encierran cierta falsedad. Se puso las lentillas y comenzó a aplicarse el rímel.

A lo largo de la vida acumulas demasiada información sobre los demás: amores, niños ilegítimos, pequeñas infamias, historias ridículas. Sí, lo mejor es callar.

Y Jamaica sabía callar. Lo había demostrado en los momentos difíciles; su vida estaba llena de secretos, podía verlos formando una muralla compacta: confidencias, secretos piadosos, algunos que no hubiera osado repetir en alto sola y en un refugio nuclear, los que protegían a quienes la rodeaban, como aquel que envolvía la infancia de Thais o este mismo, el de Domitila, la madre de Gloria, que tantas complicaciones le estaba trayendo.

—Cuando Gloria sepa que su madre no ha muerto, se va a armar...

Abrió el botiquín para elegir entre varios tonos de laca, levantó un pie descalzo y lo apoyó sobre el bidé. Se fue pintando las uñas, una a una, de diferentes colores. Las de las manos las tenía mordisqueadas.

—Demasiados años guardando secretos.

El que escondía con mayor ahínco era el de su edad; confesaba la que representaba: cuarenta y cinco, ni uno más aunque le arrancasen las uñas con tenazas ardientes. Pero la realidad es que no estaba lejos de los sesenta. ¡Sesenta años! De hecho, tenía el pelo absolutamente blanco. La cabellera, antes de un negro intenso, había clareado temprano. Al pasarse la mano por la cabeza recordó otra mano, la de Domitila, desenredándole el largo cabello. Se vio paseando airosa con ella por las calles de Caracas, en El Paraíso, bajo las acacias y el amarillo chillón de los araguaney. ¿Cómo estaría ahora? Durante años se habían escrito, pero no la había vuelto a ver. Ni siquiera en foto. ¿Seguiría siendo tan delgada?

—Demasiado coqueta, demasiado orgullosa para mostrarme que ella también envejece. Hoy todo me parece demasiado, bah.

Los últimos recuerdos databan, probablemente, de comienzos de los sesenta. Paseaban del brazo entre caserones y jardines de la urbanización de Caracas, entre las piscinas y las canchas de tenis desde las que les llegaba el golpeteo de la pelota, lento como un corazón agotado. Olía el aire a cloro y a flores, al verde del césped recién cortado y, entre el croar de las ranas y el canto del turpial, secreteaban las dos. ¿Qué edad tendrían? ¿Dieciocho, veinte años? Cuántas cosas se habían quedado atrás.

Sorprendida por la persistencia de la memoria, pudo recordar a Domitila con una precisión casi absoluta. La joven de aquel entonces se parecía bastante a la Gloria de hoy, aunque el tiempo había subvertido las cronologías haciendo que la hija fuese, en el recuerdo, más vieja que la madre. De todas formas, Domitila era una mujer arriesgada, con mucha fuerza, capaz de cualquier cosa para conseguir sus objetivos. Tal vez el tono dorado de su cabellera atrajo su destino. O quizá había que culpar simplemente a la edad, al aroma de las flores, la pesadez del clima o a la desgraciada idea de una madre que la había convencido de que se casase por dinero.

—Fue cosa de mi madre —dijo Domitila en un susurro, y, metiendo el dedo dentro de la copa que estaba bebiendo, hizo que la aceituna del martini naufragara en el pequeño mar. Luego se lo chupó con deleite.

La tarde era calurosa. En el patio interior del club, rodeado por columnas de espumosos helechos, las muchachas se mantuvieron en silencio durante unos minutos. Algunos golfistas caminaban por la sala vestidos de blanco, con sus zapatos claveteados en la mano.

—Pronto los cementerios y los campos de golf serán los únicos espacios verdes en estas ciudades.

—De todas formas no estaremos para verlo, ya nos queda poco tiempo aquí.

Al día siguiente, Jamaica tomaría el barco que la alejaría de Caracas para siempre y Domitila, dadas las circunstancias, no tendría más remedio que decidirse a organizar su vida; pero para que esto sucediera faltaban aún veinticuatro horas, y eso es mucho tiempo cuando se tienen veinte años.

A Jamaica se le había terminado el dinero, pero esto no le preocupaba, era una idealista, una improvisada, y ya se buscaría la vida. En cambio Domitila era muy práctica, además de ser dueña de la inagotable fortuna de su marido, que estaba a su nombre incluso antes de que enviudara. Y todo se debía a la previsión de su madre, una gallega que había emigrado a Cuba sin un céntimo y cuya única fortuna era una hija rubia: «El dinero, hija mía, a tu nombre. Y antes de casarte». Domitila le había hecho caso. Por suerte.

—Mamá me dijo que él viajaba mucho, que yo tendría todo el tiempo para mí, y eso fue verdad. Pero solo al comienzo.

Volvió a meter un dedo dentro del martini, lo revolvió distraída:

—Pronto los viajes menguaron hasta desaparecer, y él era demasiado todo: quiero decir demasiado rico, demasiado autoritario, demasiado viejo. ¿Me entiendes? —Y luego, con una sonrisita superficial, añadió, chupándose otro dedo—: Así son las cosas.

Domitila era tan guapa como consciente de su belleza; se dirigía a cualquier hombre suponiendo que este deseaba amarla, a cualquier mujer como si fuese una sustituta a la que podía barrer con una caída de ojos.

—He pasado de Cuba a España, de España a Venezuela, de mujer casada a viuda, todo en pocos años. —Luego, con voz casi inaudible, como si le faltara el aire—: Y de madre a prófuga.

Mientras hundía su lengua aplanada de gatito en el martini, estudió a Jamaica por encima de la copa para ver qué efecto le causaba la frase. Viendo que su amiga apenas parpadeaba, sonrió y dijo:

—Estoy cansada. De momento, aquí se termina mi camino.

Mucho había tardado Jamaica en comprender cabalmente la historia de Domitila, una historia que le había sido contada a retazos, que se desgranaba poco a poco, al tiempo que cedían temores y desconfianzas. Se habían conocido por casualidad en un bar, se habían emborrachado juntas, y las confidencias habían comenzado entonces. Pero para que la desconfianza desapareciese del todo fue necesario un terremoto.

Ahora, frente al espejo, mientras se perfila los labios, Jamaica hace una mueca de desagrado y pierde el pulso. Las exigencias de los gemelos, la foto, lo que vendrá después. Todo ha ido demasiado lejos; le convendría hablar con Gloria, contarle la verdad, romper el pacto que mantiene desde hace casi cuarenta años con Domitila. Pero Jamaica jamás ha traicionado a nadie.

—Nunca he traicionado a nadie. ¿A nadie? —De pronto, recordó—: Max.

Dijo el nombre en voz alta, y siguió dibujándose los labios con rojo oscuro mientras la invadía la extraña sensación de que todo aquello le había sucedido a otra persona, no a esa mujer casi vieja que la miraba desde el espejo.

—¿Cuántas, cuántas vidas he vivido a lo largo de mi existencia? ¿Cuál de ellas soy yo? ¿Cuántas me quedan? ¿Quién podría imaginar en la mujer de hoy, en la dueña de un bar, a la que fui?

Salió del baño y, en la cocina, aún envuelta en la toalla, sin terminar de maquillarse, se sirvió un vaso de ron. El estómago emitió una queja ahogada:

—Vaya forma de desayunar. En fin, ya pasará.

Abrió una bolsa de patatas fritas y comenzó a masticarlas. Si bebía sin comer se destrozaría el estómago. No era para tanto, solo una mañana indigesta. Se miró en el espejo de su dormitorio, se pellizcó las nalgas y sonrió; si hubiese tenido que elegir alguna parte de su cuerpo, habría elegido su culo, que mantenía casi el vigor juvenil; sus pechos, en cambio, sí que necesitaban de la generosidad del sujetador para mantenerse en su sitio. Se los sostuvo en el cuenco de las manos y los observó: había pasado el tiempo.

No era frecuente que recordara los años en Venezuela. La vida marchaba hacia delante y no tenía ningún sentido quedarse enganchada en las salientes del pasado. Años desmesurados, fuertes, ricos en experiencias, tanto la marcaron que muchos pensaban que había nacido allí y no en España. Ni siquiera Thais conocía su pasado, ninguno de los que la rodeaban ahora podría siquiera suponerlo. Solo Domitila sabía la historia completa, y ella la de Domitila. Y, pensándolo bien, a ambas les convenía callar.

Los gloriosos sesenta, cuando uno se levantaba cada día dispuesto a cambiar el mundo, cuando los Beatles cantaban «Todo lo que necesitas es amor» y ser joven significaba algo más que planear una buena carrera.

—Me estoy haciendo vieja —susurró preocupada—. Hablar mal de los jóvenes es el primer síntoma. También éramos jóvenes nosotras, terriblemente jóvenes y alocadas.

No, no echaba de menos aquella época. Ahora que las hormonas por fin la habían dejado en paz, gozaba del privilegio de la calma, no estaba cambiando constantemente de rumbo y de opinión. Si le hubiera sido posible elegir una edad, sin duda se habría quedado con esta. Pero ¿cómo se sentiría mañana?

Se pasó la lengua por los labios para humedecer el carmín, miró el reloj; tenía que darse prisa, así que terminó de maquillarse, se embutió en unas mallas, se calzó unos zapatos dorados con tacones de vértigo y, cuando estaba a punto de salir, se dio cuenta de que olvidaba algo.

Abrió un armario y eligió: la peluca color azul cobalto era la que mejor combinaba. Luego pensó que no era prudente llevar algo tan llamativo, bastaba con su estatura, así que, con el pelo mojado y corto, salió a la calle. En lugar de ir andando, llamó a un taxi. Julio era puntual, y la estaría esperando en la cafetería del hotel donde siempre se citaban. Se lo imaginó tamborileando los dedos nervioso, vestido de forma impecable, con ese uniforme de los ejecutivos que los convierte en dones. Pobre Julio, que sin duda solo había soñado con una vida tranquila, sin imaginación para el engaño, el bondadoso Julio que ahora tenía que mentir. Él habría tenido que hacerlo para encontrarse con ella, decirle a su mujer que partiría de viaje. Pero, en realidad, qué más daba, a estas alturas, un engaño más o menos.

—En fin —dijo, calándose las gafas negras que no lograban ocultarla en absoluto—. En fin, qué más da, a estas alturas.

Mientras introducía sus largas piernas en el taxi, tarareó, frunciendo la nariz:

—«Todo lo que necesitas es amor»: qué tontería.

* —*Al you need is love* —canturreó distraída Gloria, vagabundeando por la casa. Era viernes.

Julio había partido temprano de viaje, y podría seducir a la canguro para que se llevase al niño. Si lo lograba, frente a ella se desplegaría la maravilla: una noche libre.

Le vino una idea loca a la cabeza: ¿y si llamaba a Ulises? ¿Y si lo invitaba a retozar con ella en el lecho matrimonial? Demonios, ¿de dónde le venían estas ideas y ese lenguaje arcaizante? Sí, hacerlo en casa, sobre su cama, con Ulises: qué morbazo.

—Estoy poseída, loca, fuera de mí. Es muy peligroso. ¿Qué pensaría el portero si lo viese?

No era posible que entrara de forma secreta, con ese aspecto. De pronto sintió que algo se había adueñado de ella y la llevaba cada vez más lejos, hasta la temeridad. Se sentó, intentando calmarse.

Desde la mesilla de noche, el retrato de su madre la miraba con una eterna sonrisa. ¿Cómo habría sido ella? ¿Fiel, promiscua, apasionada, distante? No lo sabía, nadie se lo podía contar. Su madre había desaparecido cuando ella era aún una niña, para Gloria resultaban difusas hasta las causas de su muerte. Poco antes había muerto también su padre, y Gloria creció sola, interna en un colegio. Sus padres, como si hubiesen planeado una huida, habían organizado el futuro económico de la niña: había un dinero que le llegaba puntualmente, hubo un piso para ella cuando se emancipó y, al alcanzar la mayoría de edad, encontró en el banco una cantidad que le permitió estudiar sin problemas.

En cambio, en el terreno de los afectos, Gloria había estado siempre sola; la poca familia que tenía en España solo la visitaba alguna vez para las fiestas, y nadie, nunca, le habló de sus padres. Desde que ellos desaparecieron, sentía que alguien había caminado sobre su corazón con las botas manchadas de barro; desde la infancia, el mundo tenía para Gloria una superficie resbaladiza, como de hielo recién formado.

Por eso, cuando apareció Julio, no lo dudó, aunque ella era demasiado joven para casarse y él bastante mayor. Nunca había sentido una verdadera pasión, pero Julio era una buena persona y tenía en su haber una lista de valores nada despreciables para alguien que ha crecido en el abandono: la protegía, era cariñoso aunque no apasionado, responsable en su trabajo, razonablemente guapo y, con esa argamasa, la joven Gloria decidió colocar la piedra fundamental de su hogar. La suya había sido una pareja sin sobresaltos, basada en la amistad, monótona, pero segura. Y, probablemente, si ella le dejaba espacio, terminaría siendo un buen padre. Pero, pasados ya los cuarenta, no estaba tan segura de haber elegido bien. Se aburría, oh, Dios, cómo se aburría, y no podía apartar de su mente a Ulises.

Mientras estudia el retrato, el olor picante del curry parece invadir la habitación. Es curioso: la imagen de su madre aparece siempre acompañada de sensaciones olfativas. El curry, las salsas, su madre en la cocina, las caderas bamboleantes, *cha-cha-chá*, *qué rico el cha-cha-chá*, el aroma de las gardenias sujetas a su cabellera, las hojas de un verde intenso contra las hebras doradas, ese amarillear de las flores blancas en la cocina, su empalidecer entre un bullir de cazos y sartenes, el agua de coco, el arroz que su padre adoraba, el golpeteo del cuchillo sobre la madera, Gloria observándola, la seriedad de su padre sentado a la mesa, el tenedor que se levanta del plato y emprende el ascenso que lo llevará a la boca; la boca que se abrirá entre la pilosidad de la barba, los labios brillantes por la salsa, la mirada transparente de la madre, el silencio del comedor, su madre esperando que el arroz amarillo traspase los labios del padre y se hunda en la oscura cavidad, entre sus fauces, la sonrisa breve, amarga del hombre aún frente a su plato preferido, «está bien, aunque... » y allí se detenía, cavilando como si algo no cuadrase, buscando algún defecto, pero no decía más, se borraba los labios con una servilleta impoluta, y, extendiendo otra vez el plato, afirmaba:

—Muy bueno, Domitila. Sí, sírveme un poco más, y a ver si te quitas de una buena vez esas gardenias del pelo, que ya están marchitas. —Y luego, con un gesto áspero—: Parecen flores de muerto.

Entonces su madre, llevándose una mano hacia las flores como si quisiese protegerlas, callaba.

*Jamaica hubiera deseado no complicar a Julio, y de hecho ha logrado mantenerlo lejos durante años. Julio es una buena persona, le gusta, pero la aparición de Ulises y el embarazo han precipitado las cosas. ¿Qué habría pasado si el niño nacía negro?

Años, siglos atrás, mientras ella y Domitila tomaban un martini en El Paraíso, Jamaica había sellado un pacto de honor y había comenzado a mentir.

—Búscala cuando puedas —le había dicho finalmente Domitila en un susurro—. Y protégela. Es mi hija, pero no puedo tenerla conmigo; yo te escribiré. Ahora júrame que nunca conocerá la verdad.

Y, con toda la solemnidad de que era capaz, Jamaica lo había jurado.

Recién entonces Domitila había puesto entre sus manos un sobre, una fotografía y un número de cuenta bancaria. Allí había dinero de sobra para garantizar que la niña no pasaría apuros. Jamaica miró con atención la fotografía, que encuadraba a una niña rubia sentada en una sillita. La fotografía permanecía guardada en la caja del bar, amarillenta por el paso de los años, el dinero estaba a nombre de Gloria desde su mayoría de edad y la carta era la primera de una larga serie que Jamaica había ido recibiendo durante todos estos años.

La madre de Gloria, el relumbrón de la cabellera dorada entre las melenas oscuras que se amontonaban en el muelle de Caracas, el pañuelo rojo con el que la despidió, el pañuelo con el que Jamaica la vio hacerse más y más pequeña, hasta borrarse con la línea del continente. Volvió a pensar en Domitila tal como era entonces. ¿Cómo se llamaría ahora? Había cambiado tantas veces de nombre que ya no recordaba el actual.

* Los gemelos estaban en la habitación del hotel, semitendidos en la cama. Uno de ellos se había quitado la ropa y lucía un slip color fresa, el otro se había puesto ya un pijama amarillo chillón con una Betty Boop dibujada sobre el pecho. Bostezaron al unísono, se giraron hasta quedar cara a cara y uno de ellos hizo chasquear los dedos. Fue el otro quien se levantó de un salto, sacó la maleta de debajo de la cama, la colocó sobre el sillón, y soltó la cuerda que la sos-

tenía. Desde la boca abierta del cuero emergió una montaña de dólares sobados y agrupados en billetes de diez. Muy lentamente comenzaron a contarlos y, conformes con el resultado, los metieron de nuevo en la maleta y, asegurando la cuerda con un doble nudo, restituyeron esta en su escondite. Encendieron el televisor y estuvieron largo rato haciendo zapping hasta que encontraron un programa de deporte. Por fin, aburridos, sin nada más interesante que hacer, apagaron la luz.

* Y lo hizo, la muy imprudente lo hizo. Pidió a la canguro que se llevase al niño a su casa, solo esta noche, iré a bailar, Julio está de viaje, estoy agotada con el trabajo, la casa, el pequeño, agotada y necesito descanso, y la muchacha, claro, te entiendo, cogiendo al niño y sus enseres, vamos, colega, que con el pastón que me pagará tu vieja por una noche completa iré al concierto de Forúnculos Tumefactos, esta vez lo dice sin chillar, porque se ha quitado los cascos y Gloria la mira y comienza a arrepentirse, no puede ser otra persona responsable, no con esas pintas.

—Anda, guapa —le espeta la niña como si hubiese oído sus pensamientos—, venga ya. Puedo elegir presidente, conducir un coche, estudiar en la universidad, ir a la cárcel, y resulta que no puedo cuidar de tu bebé. Sé de niños más que tú, con ellos me pago la carrera. Venga, colega —le dice al niño—, echemos a esta vieja de aquí y vámonos de juerga.

El niño sonríe entusiasmado y tiende las manos.

Traidor, piensa Gloria, aunque en realidad la traidora es ella, tan pequeño y ya me abandonas por otra mujer. Baja para acompañarlos hasta el taxi, culpable, meretriz, prostituta babilónica, pero cómo evitarlo si desde hace semanas solo piensa en Ulises, esta es la más perfecta de las oportunidades, no se volverá a repetir.

Un rato más tarde se estudia complacida en el espejo, el cabello recogido para no llamar la atención, el vestido sencillo, los zapatos planos, el chal de seda gris.

Qué mezcla tan explosiva, pensó Jamaica, al verla entrar en el local. Y, meneando la cabeza: de tal palo, tal astilla. Debí preverlo, ahora tendré que dejar a Ulises.

Cuando Gloria llegó a Los Bongoseros de Bratislava, no había mucha gente; era viernes, pronto estaría la sala repleta y podría llevarse a Ulises a casa, raptado en un taxi sin que Jamaica, que ahora parecía estudiarla, los viese, y luego proponerle ese rato juntos sobre su propia cama y él aceptaría, cómo no, y ya sentía el abrazo de los músculos tiernos, de la piel bruñida sobre su blancor, los labios buscando sus pezones, el cuerpo desmesurado de negro en el espacio de la cama que habitualmente ocupaba Julio y ella, transgrediendo feliz, sin poder evitarlo, entró en el servicio y se colocó un último detalle en el pelo, frente al espejo, emulando a su madre sin darse cuenta, dos gardenias entre la melena rubia, y el azogue le devolvió a una hermosa mujer acicalándose en otoño, antes de que llegue el invierno y todo se vuelva gris.

* Ulises ya es un caso perdido, reconoció Jamaica con algo de tristeza, cuando vio a Gloria resplandeciente entrar en el local. Algo tarde, muchacha, algo tarde te das cuenta de que el amor es otra cosa; ahora le complicarás la vida a todo el mundo. En fin, lo que se hereda no se hurta. Y qué vaina, quién soy yo para decirle algo.

Y Jamaica, con cierta melancolía, se recordó a sí misma, tantos años atrás, jovencísima, en el barco que la alejaba de Domitila y de Venezuela, el pelo largo y negro golpeado por la brisa, el salado estremecimiento del aire en su rostro, las lágrimas, la espuma que, como dos alas blancas, abrazaba la proa, los pasajeros apoyados en las barandas despidiéndose o charlando, los niños que corrían por la cubierta ajenos a toda nostalgia, las gaviotas que danzaban siguiendo al barco, la rutina de los tripulantes, el ruido del motor. En teoría, regresaba a España.

No bien desapareció la imagen de Domitila del muelle, no bien se secó las lágrimas que le nublaban la vista, Jamaica, que aún no se llamaba así, oyó una voz masculina:

—¿Me permite?

Avergonzada, la joven miró hacia un costado. Lo primero que vio fueron unas grandes manos tostadas por el sol, con las uñas cuidadas y sin anillos. Luego fue subiendo por los brazos fuertes, la camisa de buena tela, el cuello ancho y algo tosco y, por fin, el rostro. Era un hombre muy rubio, de unos cuarenta años, probablemente extranjero, sajón tal vez, que hablaba un castellano perfecto con acento neutral. Le estaba ofreciendo un pañuelo. Resultaba imposible precisar su origen; en él parecían concentrarse el aventurero, el dandi y el seductor. Alejándose un poco, el hombre se dedicó a mirar a la muchacha de arriba abajo, como si la catara, y Jamaica se incomodó con el examen. En cuanto se secó los ojos le devolvió el pañuelo, que él guardó con indiferencia en el bolsillo.

—¿Está siempre en los barcos, con un pañuelo en la mano, dispuesto a consolar a muchachas en apuros?

Sin molestarse, él respondió:

—Voy hasta Barcelona. ¿Tú también?

No le gustó que la tuteara y, sin pensarlo demasiado, con la idea de quitarse al moscón de encima, de contradecirlo, lanzó al aire una frase que le cambiaría la vida:

—¿A Barcelona? Estando como están allí las cosas... Me quedo en Jamaica.

Esa misma noche, en el preludio de las caricias, habían brindado en el bar del barco.

—Por mi nueva vida.

Y él le había respondido simplemente:

—Por compartirla contigo.

* Desde una esquina del local Omara vio el brindis que Jamaica hacía con el pasado e hizo un gesto para acompañarlo. No importaba que no la viera, no importaba. Brindar con los recuerdos es mala cosa, así estaba mejor. Bebió un trago, otro más, y cambió de objetivo porque la entrada de Gloria en el local atraía toda su atención; estudió los andares de la rubia, la timidez y el rubor que afloraron en su rostro con la aparición de Ulises, los descubrió secreteando en una esquina, besándose, vio también a Gloria recoger su chal antes de que las primeras parejas se lanzaran a la pista, percibió el nerviosismo del negro, el intento vano de que Jamaica no se diera cuenta de que se marchaban, los vio acercarse a la puerta y salir sin mirar hacia atrás, sin pensar lo que estaban haciendo. Cuando ambos habían desaparecido, Omara masculló:

—Mira que eres tonto, muchacho, mira que eres tonto. Con lo que cuesta conseguir un trabajo como este en Madrid. Qué le vamos a hacer: tiran más dos tetas que dos carretas.

* No hablaron en ningún momento, solo se desnudaron con ansiedad, Ulises bajó la cremallera del ajustadísimo vestido, la tomó en sus brazos y la acostó sobre la cama matrimonial, comenzó a restregarse contra ella, una y otra vez, fue desvistiéndose tendido sobre su largo cuerpo blanco. A Gloria se le cayeron las gardenias del pelo y, con ellas, los últimos temores, las dudas, las culpas. Se amaron hasta quedar exhaustos, y ella se levantó al amanecer sin ningún pudor, comenzó a caminar sin ropas por la casa. Ulises observó algo escandalizado cómo se movía con naturalidad, pasaba entre los juguetes de su hijo, entre los libros del marido, la siguió hasta la cocina, donde, desnudos y en silencio, tomaron café, ella moviéndose con precisión cotidiana, con una despreocupada desnudez, vaciando el lavaplatos, abriendo la nevera.

Gloria abrió el grifo de la ducha, levantó el rostro para recibir la lluvia con la boca abierta y los ojos cerrados, y él, al verla, brillante la carne, el pelo rubio hacia atrás, se metió también bajo el agua y la levantó enfebrecido contra los baldosines, la sostuvo enjabonada hasta que las piernas blancas le rodearon la cintura y logró clavarse en ella. Bajo la tormenta artificial la hizo gemir, quejarse, gritar. Aún no se había marchado Ulises cuando Gloria, asomándose a la ventana, sin vestirse aún, descubrió en la cuerda de la colada una camisa de Julio y la dejó allí, sin recogerla, colgando al viento como un ahorcado.

Luego sacó de su bolso los calcetines que había comprado unas semanas antes y se los regaló a Ulises.

Lo despidió cubierta apenas por un albornoz, el pelo revuelto; sin traspasar el umbral ni asomarse al descansillo. Antes de entrar en el ascensor Ulises se dio la vuelta para mirarla asomada aún, otra vez, silenciosa y sonriente, agitando la mano en señal de despedida, dejando grabadas en el recuerdo del hombre una mezcla de impresiones: la de los enseres de un recién nacido, la de una cama ajena, la de una mujer que se abre bajo la ducha, la de una camisa flotando al viento, la de un adiós.

* Ulises estaba en dificultades, y lo sabía. Con las manos en los bolsillos bajó por Serrano hacia el Retiro —un único negro entre tantos blancos atildados—, miró los escaparates que exhibían ropas demasiado sobrias, eligió por última vez algo que pudiese comprar porque se quedaría sin trabajo, pero no se decidió a gastar. Jamaica se lo había repetido mil veces, hasta el aburrimiento, y abandonar la sala un viernes por la noche era más de lo que ella podría soportar, dejarla así plantada antes de la clase de salsa era como firmar su sentencia de muerte, y la pasión que ahora sentía por Gloria lo llevaría otra vez al metro, a vender, a escapar de los guardias, indocumentado y solo.

Un mendigo se acercó a pedirle una moneda. Asustado, Ulises miró sus ojos preguntándose si no sería ese su futuro, si no estaba jugando a la ruleta rusa. No lo había podido evitar. En este mismo instante, al recordarla, hubiese corrido hacia ella, hacia su casa, sin importarle quién estaba allí. El deseo de Gloria era una mordiente que se ocultaba tras un exceso de ternura, era algo que lo corroía a pesar del bello aspecto de la mujer, era un amor venenoso y ambiguo.

Ella, se dijo dolorosamente, ella tiene poco que perder. Y se sintió como un juguete apresado en unas manos poderosas.

Ya estaba por el Retiro cuando recordó una escena lejana. Era todavía un adolescente y vivía en N'Dakhar. Una mañana, después de una tormenta furiosa, rescató una bella garza gris que había caído bajo un soto. Algún cretino infrahumano le había quebrado un ala con una bala de pequeño calibre. El muchacho la acarició hasta calmarla y, cuando el corazón del pájaro empezó a latir más lentamente, la cubrió con su brazo desnudo envolviendo la sorprendente belleza de las alas. La garza ya se había secado con el calor de su abrazo y Ulises sostuvo con su mano el largo pico. De pronto la garza se quedó quieta y lo miró sin pestañear. Era el examen de un ave de rapiña. ¿Qué gusto tendría ese hombre? ¿Valía la pena matarlo para comérselo? Ojos amarillos, pálidos y calmos, seguros de sí mismos, exentos de gratitud o de miedo.

Con un ligero temblor, Ulises sintió que la garza y Gloria tenían mucho en común, que ambos lo escrutaban con una mirada natural y fría.

* Un pez de oro sobre el agua del espejo, un pez quieto que se estudia con fijeza sobre el agua de cristal; luego, el telón del párpado maquillado con polvos color tiza. El lagrimal enrojecido por la pena que se le escapa cuando piensa en el niño y en Julio, en Ulises, en qué va a hacer. Un pez acuoso y brillante en las aguas frías del azogue, perfilado con delineador; un dedo que se acerca al pez para expandir crema de plata en el filo de las cejas; más abajo, algo blanquecino cubre el fino entramado de las ojeras. El pez, molesto por la quietud a la que se lo somete y la cercanía de los afeites, parpadea dos o tres veces, ¿de qué color es exactamente? Nunca lo había podido definir. Se peinó las cejas hacia arriba, tomó el rímel y lentamente acarició las pestañas, las separó con un palillo, quitó el excedente con la yema de un

dedo; el pez, rodeado de negro, tomó un perfil hierático. Dos trazos minúsculos en la comisura de los ojos expandidos hacia las sienes, limpiar un punto negro aposentado en su ojera, la cara cada vez más cerca del espejo, la pupila diminuta a causa de la luz, el salpicado verde marrón en el iris de un amarillo casi dorado. ¿Qué piedra se llamaba así?, ¿el ámbar? Sí, vistos así, a la luz, los ojos de Gloria tenían el color del ámbar.

* Viviana estaba triste pero más tranquila, decidida a colgar los cuadros que llevaban años ocultos tras un armario por esa forma de vivir eventual del exilio. Pero el exilio había acabado hacía mucho tiempo, se dijo, ahora solo le quedaba aceptar que no era ciudadana de ningún lugar. Al fin y al cabo, cambiar de país se había convertido casi en el tema de la época: a causa del hambre, de las guerras, del simple deseo de volver a comenzar. Viajes, traslados, despedidas, dolores y esperanzas, la certeza de que solo se cuenta con uno mismo. Porque una vez que se emprende el camino, ya no hay retorno.

—No hay vuelta atrás —repitió—, esté donde esté soy una extranjera. —Y luego—: Basta, basta ya.

Así se sentía cuando se levantó de la cama, desayunó cereales y se puso unos vaqueros, un poco mejor después de ducharse —agua caliente, un golpe de fría—, mejor aún cuando, mirándose en el espejo, se recogió el pelo mojado en un moño y se dio cuenta, sorprendida, de que podía decir «moño» y no «rodete» sin crisis, sin paréntesis, sin que se tambaleara la Babel del castellano, casi sin dolor.

No están mal las cosas, pensó, mientras desechaba dos o tres láminas que ya no le gustaban, ponía un clavo, ¡oh, un clavo!, algo fijo, irrevocable, una señal de permanencia en la impoluta pared, y cambiaba de lugar la mesa prometiéndose que, cuando cobrase, pintaría la casa.

Era aún temprano y bajó a desayunar decidida a darse más tarde un paseo por el Rastro. La Rivera de Curtidores, en otoño, hervía de frescor; poco más tarde sería imposible pasear por ella. Se dirigió a la calleja en la que vendían telas antiguas, mantones, ropa de las abuelas que aún entusiasmaba a las jóvenes y eligió una cortina de encaje a la que le hacía falta algún remiendo. Podría pasearse desnuda por toda la casa, ahora que empezaba a ser libre. Cuadros, cortinas, qué me pasa. Luego compró el periódico y lo leyó, hizo el crucigrama, perdió alegremente el tiempo en una terraza que aún atrapaba un tierno sol. Entre la multitud que hormigueaba a su alrededor vio a Ulises y le pareció que él la evitaba, que se hacía el desentendido, el distraído. Mejor así. Las cosas no hay que mezclarlas.

Así que, parapetándose otra vez tras su periódico, fingió también no verlo. Luego regresó paseando porque no tenía que escribir, y en lugar de concentrarse en sus esperanzas rotas se sintió bien, porque ya nunca más la frustración, el rechazo, nunca, nunca más esa pesada de Felicitas Coliqueo.

* —Las historias que quieren contarse buscan contarse —pontificó Omara, sentada a los pies de la cama de Nin, que aún estaba medio dormida. Y luego añadió—: Digo lo que digo lo que digo. —Así, bizqueando, despertó a la niña, puso los ojos en blanco, le dio la tiritera y continuó—: El pescador vive sobre su barca y el indio sobre el caballo.

Nin despertó sobresaltada, se frotó los ojos y miró el despertador: era muy temprano. Guardó silencio y, rodeándose las rodillas con los brazos, se aprestó a escuchar. Aunque se le cayesen los párpados de cansancio por la mañana, no había sueño que se pudiese comparar con las historias de Omara.

Al principio se había asustado un poco, ahora ya estaba acostumbrada a los ojos en blanco y a las tiriteras de la negra. Solo el entusiasmo la hacía estremecer cuando veía que se acercaba el temblor. Era entonces cuando le brotaban de los labios las mejores historias; la del guineano y su hermana ya estaba gastado. En cambio, la que surgía con toda esa parafernalia de *El exorcista* resultaba fascinante.

Cuando la negra se ponía así, la niña, ya no la llamaba por su nombre, sino directamente Felicitas, y ahí le contestaba la otra voz, que a veces era muy solemne y otras estallaba en carcajadas demenciales, en secreteos y murmuraba palabras incomprensibles para la niña, pero daba igual y, seseando, describía cosas que a Nin no la dejaban ver ni en la tele.

Ni en su puzle había personajes como esos: caballos, indios en pelotas, cautivas, lenguaraces; solo una gran ciudad con su enorme cielo azul plano impreso en cartón. En una de las ventanas, la de la buhardilla, Nin creía ver una señora. Era hermosísima, rubia y gordezuela y, cuando se juntaran las piezas, estaba segura de que aparecería Felicitas Coliqueo. No creía que hubiera, entre las piezas aún dispersas, indios adornados con plumas de avestruz: una verdadera lástima.

∗ Por el Rastro, bajando la calle, se paseaba Ulises con las manos en los bolsillos. Estaba inquieto, hacía un rato casi había tropezado con Viviana, pero ella, que estaba leyendo el periódico en una terraza, pareció no verlo. Mejor que mejor, se dijo, mejor que no sepa que existo fuera de clase, porque ya tengo bastante con lo que tengo.

Tomó aquello como una buena señal, y continuó paseando, aquí y allá, deteniéndose frente a los puestos. Vivía en Lavapiés, y le gustaba salir los domingos a ver las aves saltando en sus jaulas. En su pueblo ese piar estremecía el alba, aquí los pájaros esperaban nerviosos que alguien los comprase, que los sacaran de allí, que les dieran agua. Como si un pájaro fuese algo que se puede cambiar por dinero. Y si los pájaros se venden, ¿cuánto valen el sol, la luna, el ruido que hace el viento entre las hojas?

Mientras piensa todo esto, Ulises camina jugando con su llavero, haciendo que el metal tintinee y brille bajo el sol; está contento, es domingo a mediodía y puede descansar. Ni siquiera el amenazante futuro le preocupa demasiado en esta mañana gloriosa.

De pronto se detiene en seco: en la arandela falta una llave, la única que trajo de Senegal, la de la puerta de la casa de su tía, esa llave que era su amuleto, que le hacía sentir que podía regresar a su tierra en cualquier momento. Volvió a meter las manos en los bolsillos, les dio la vuelta, giró a su alrededor. Nada.

Mala suerte, pensó preocupado, justo ahora, que todo comienza a torcerse, pierdo el talismán. Estoy preso, encerrado fuera, ya no puedo volver a casa.

Y consternado, regresando instintivamente al wólof de la infancia, gimió:

—Mi *chavi*.

* ¿Qué es esto?, se preguntó Julio cuando chocó con algo duro y frío bajo las sábanas y, palpando el colchón, reptó la

mano hasta sacar de la profundidad de su cama un objeto que parecía un trozo de metal. Lo pinzó entre sus dedos como si fuese un coleóptero, lo alejó de sus ojos para estudiarlo; era una llave, evidentemente, pero ¿de qué?, ¿de quién?

Una llave en mi cama, se dijo, en nuestra cama, ¿de dónde ha podido salir?

Sabía que Gloria tenía sus escapadas, a estas alturas ya no le importaba demasiado, pero ¿en su propia cama?, ¿y con un niño de meses?

Aturdido, comprendió su situación y se dejó caer del lado en que solía dormir Gloria. Al percibir su aroma, la huella de su cabeza en la almohada, sintió que por la garganta le trepaba un sollozo salvaje, brutal, una bola de angustia que lo sacudió por dentro, y de pronto, la contracción de la garganta, el rostro fruncido, ese temblor irrefrenable: la única manera de llorar posible en un hombre que no había llorado nunca.

* —Viaja la que viaja la que viaja —continuó Omara con la voz de Felicitas—. Yo iba con mi tía a la estancia Los Abrojos cuando los indios asaltaron la diligencia y desengancharon los caballos para robarlos, bajaron los baúles del portaequipajes, las maletas, hasta la jaula de mi papagayo y lo revolvieron todo gritando a saber qué. Uno se puso el miriñaque y parecía una campana con el badajo al aire, otro, los sombreros con flores y el corsé mientras se reía y bizqueaba como un demonio. Mi tía, al verlos, comenzó a llorar. En cambio, el cochero permaneció calladísimo y con razón, porque uno de esos brutos le había clavado una lanza en la espalda.

»Yo, por no ser menos, me arrodillé y me puse a suplicar. Los salvajes ni se inmutaron y uno me levantó por los aires hasta montarme a la grupa de su caballo. Me desmayé y me desperté y, del susto, me volví a desmayar, pero antes vi que mi cintura estaba atada con una soga a la de un indio feísimo.

Nin, con los ojos abiertos como platos:

—¿Y qué sucedió entonces?

—Qué tonterías preguntas. Pues lo que tenía que suceder, que me convertí en una cautiva. —Luego se detuvo y meditó unos instantes—. Bueno, dicho así, ya sé que suena muy mal, lo cierto es que no fue para tanto.

* Después de recorrer la planta de muebles de un gran almacén en busca de una mesa que le garantice la inspiración, Marga regresó a casa. Entró en la cocina, donde Omara estaba secreteando con la niña mientras devoraban cerezas a la velocidad de un rayo. Su hija tenía los labios de un brillante rojo sangre y, al verla, pegó un respingo, como si estuviese comiendo un fruto prohibido.

—¿Te sucede algo?

—Nada, mamá, nada. Estaba escuchando las historias de Omara.

—Ah, bueno. Pues a mí deberías contarme esas historias, Omara, a mí, que no se me ocurre nada. Es como si tuviera el cerebro relleno de algodón. —Encendió un pitillo, nerviosísima—. Ah, por fin puedo fumar. Pronto van a poner control de humo hasta en el baño de tu propia casa.

—Anda, no fumes sola, que eso es malo. Dame un pitillo, mi amor, regálame uno. Qué tú dices, qué yo sé de historias. Lo mío son bobadas, cuentos para niños, nada de importancia. Tú eres la que tiene imaginación en esta casa, chica, de verdad.

—¿Tú crees? —Marga sonrió, ahora estimulada y dispuesta a lanzarse sobre el teclado del ordenador. Dio otra calada, se lo pensó un poco y matizó—: Mejor hoy no, mañana, mañana, cuando me traigan la mesa nueva.

* —Cuenta la que cuenta la que cuenta, cállate y deja ahora que te narre el primer momento en el que lo vi. Como te estaba diciendo, el indio que me había raptado me ató las manos y me llevó hasta lo que parecía ser la casa del jefe. Ya te he dicho que yo soy muy rubia, y que por eso poseerme valía un Perú, así y todo tenía un susto de muerte que me impedía hasta abrir la boca porque, al fin y al cabo, aunque había perdido la virginidad con Mr. O'Mahara, yo era bastante inocente.

»Al principio todo fue oscuridad, como si la unánime noche se hubiese escondido en la tienda del salvaje. Luego vi que desde una apertura de la techumbre caía una luz tenue que sacaba brillo a las piezas de plata colgadas de los palos que hacían de columnas.

»El cacique me esperaba dentro, serio como un muerto, con una vincha también de plata rodeándole la cabeza y los brazos cruzados sobre el pecho. Guapo, lo que se dice guapo, no era; resultón, sí. De eso comprenderás que me di cuenta después, con más perspectiva, que no estaba yo ese día para catalogar hombres. El cacique hizo un gesto con la mano que debería querer decir que deseaba estar solo conmigo, y yo me quedé mirándolo. —Luego Felicitas hizo un silencio, como si en la confusión babélica de su cabeza se abriese un silencioso estupor, una elipsis. Finalmente, continuó, escamoteando detalles—: No he de contarte la primera vez que yací con él, basta con que te diga que eso fue no más verme. Y así pasaron los meses.

»El cacique, aunque tenía cara de malo, era limpio, no como mi marido, y se bañaba cada día en el río, al amanecer. Y te diré más aún: mejor olía el poncho del indio que la levita de mi esposo. Beber, es cierto que bebía mucho, casi como un irlandés, pero no tenía un alcohol pendenciero, sino que enseguida se le caían los párpados y comenzaba a roncar.

»Y, en cuanto al fornicio, este era mucho mejor, porque Mr. O'Mahara gastaba mucha porcelana, mucha caoba, mucho marfil, pero, en la cama, qué quieres que te diga: era un bruto.

* No, no eran malos los gemelos en la cama, sino más bien todo lo contrario. En su tierra las mujeres se los rifaban, aunque luego había que mantener una relación con los dos y eso se soportaba mal. Cuando se aburrían de estar encerrados en el hotel, intentaban conocer mujeres, pero no solo hablaban un castellano extrañísimo mechado con palabras en francés y a saber en qué otro idioma, sino que además se negaban a separarse. La verdad es que no les gustaba dejar la maleta con el dinero desprotegida, estaban allí con una misión y, aunque recorrieron todos los lugares de salsa que se les ponían frente a los ojos, enseguida se sentían inquietos y regresaban al hotel.

A veces ganaban juntos la calle, se dedicaban a dar largos paseos que no conducían a ninguna parte y entraban en cuanto tugurio se bailara flamenco. Eso es lo que todos decían que había que hacer en España, eso y comer tortilla.

Nadie les ponía pegas en cuanto sacaban del bolsillo sus carteras repletas de dólares, ya que todos creían que eran americanos. Luego ellos hablaban en francés, pero qué más da.

Y cómo no, las mujeres los miraban. Esos labios podían posarse como mariposas sobre la piel, imaginaban ellas, esos labios blandos y tibios estirándose con los sonidos tubulares del francés dibujaban en el aire una sucesión de besos y luego, la suavidad nasal de las consonantes, el ronronear de las erres. Pero los gemelos se aburrían y no entendían la seducción de las blancas; en su pueblo las cosas eran más sencillas, aquí las muchachas secreteaban mirándolos y luego no había cosecha.

Además, qué vaina, tenían que volver a ir a Los Bongoseros de Bratislava aunque allí tampoco eran tan bien recibidos como les había garantizado su madre.

Pero una orden es una orden, y no cualquiera se enfrentaba con ella. Así que, con las manos en los bolsillos, decidieron ir dando un paseo y, en silencio, brujulearon hacia allí.

* Así, sin dormir casi, esperando ahogar en alcohol a la pesada de Felicitas Coliqueo que la había tenido media noche despierta, Omara se había ido a descansar a Los Bongoseros de Bratislava.

—Muy alegres parecéis los cubanos, pero tenéis alma de blue —dijo Jamaica, también mal dormida y de pésimo humor—. Mira qué cara tienes, parece que has cabalgado por el desierto toda la noche. —Y prosiguió—: Desconfío de vuestra risa.

—Bien haces, chica, bien haces. Hay que desconfiar de todo y de todos, es lo mejor. Y, ya que estás en ese plan, desconfía de esa rubia de bote amiga tuya, que te está removiendo el gallinero.

—¿Qué dices?

—La Gloria esa, la que acaba de parir. Cuida a tu Ulises, si quieres conservarlo.

—Yo no quiero conservar a ningún hombre. Ulises ya está perdido: ciao chigüire, kaput, o como quieras decirlo.

—¿Y dónde vas a encontrar un negro como ese para que te haga de pareja?

—Se lo avisé a ese pendejo, se lo dije, se lo bailé, se lo canté: no tenía que meterse en la cama con las clientas.

—No me seas mojigata, chica, no me seas antigua. Un polvo es un polvo, y nada más. Mi alma, tú estás celosa.

—No seas tonta, Omara. Te digo que hace tiempo que los hombres no me despiertan otras pasiones que las estrictamente obvias.

—Pues en eso estamos, mi amor, en eso estamos. Para lo estrictamente obvio, difícil que encuentres a alguien mejor formado.

—¿Y cómo sabes tanto sobre él?

—Porque lo conocí en Senegal.

—Qué delirio es ese. ¿Cuándo has estado tú en Senegal?

—Pues cuando nos escapamos de Guinea con mi hermana. Qué es lo que pasa. Que en Guinea no hay consulado español, el consulado está en Senegal, y tuvimos que ir allí a pedir el visado, todo a escondidas de mi cuñado, que siempre me vigilaba y decía que tenía que comportarme de otra manera porque él era una persona muy respetada. Claro, yo lo pasaba de miedo con todos esos negros, tocaba rumba y me daba igual cualquier cosa. Ellos nos ayudaron a escapar de Guinea.

Jamaica ya había olvidado su discusión con Omara, y estaba embebida en la historia. Esa negra sabía contar, nadie podía escapar de su influjo.

—¿Y qué hicisteis entonces?

—¿Qué hicimos? El guineano se fue a trabajar, mi hermana también, yo monté todo, mi ropa, la de mi hermana, los cuadros, el dinero que pude encontrar, hasta la cadena de oro del guineano y sus mejores trajes, todo lo monté en una furgoneta. Estos negros me llevaron al aeropuerto, lo facturaron, fui al trabajo de mi hermana a buscarla y partimos para Senegal.

—¿Y cómo conociste a Ulises?

—Eso es muy largo y no te lo pienso contar.

* —Llegamos a Senegal en tres horas de vuelo, me gustó mucho a pesar de ser un país africano.

—No seas racista —saltó Jotabé, aunque se arrepintió enseguida, al fin y al cabo, quién era él para opinar. Además, esta noche estaba dispuesto a escuchar cualquier cosa que viniese de Omara. Le sirvió copa tras copa, y ella siguió hablando, ahora a gritos, por encima de la música atronadora, las maracas y el bongó.

—Senegal es distinto. No es como esos países que lo mismo les da ir con una teta al aire que con la teta tapada. Visten a la africana, con unas telas muy largas que se enroscan por la cabeza y les queda precioso. Ves carteles, señalizaciones, el trato es magnífico y también hablan francés.

—¿Y qué pasó en Senegal?

—Como mi hermana habla francés, conseguimos deprisa los papeles y regresamos al aeropuerto. Estaban ya las maletas pasando por la cinta cuando aparece la policía y nos detiene porque había una orden de arresto para mandarnos de regreso a Guinea.

—¿Y cómo puede ser eso, si estabais en Senegal?

—Tú no entiendes cómo son las cosas allí, eso es lo que os pasa a los blancos, pensáis que el mundo es vuestra trastienda. Nosotras somos mujeres, y en estos países la palabra que diga el hombre es la única que vale. Además, el marido de mi hermana era militar, y para él allí no hay fronteras. Oye, por cierto, esto está muy vacío. Claro que es lunes. ¿Qué tú haces aquí, si no vendrá esa patosa que tanto te gusta?

Ruborizado hasta el blanco de los ojos, Jotabé se quedó tieso, permaneció mudo unos segundos y vio cómo entraban en el bar dos mulatos idénticos con los ojos del color del ámbar. Sin saber por qué, dijo:

—Gemelos de frente, amor presente.

Jamaica no parecía pensar lo mismo. Cuando los mellizos se acercaron a la barra simuló no verlos pero, aun de espaldas, se la percibía nerviosa. Llevaba una peluca corta de color amarillo chillón y su nuca, al descubierto, dejaba ver los músculos estirados como dos tensores. Tintinearon el peligro sus grandes pendientes y tardó en reaccionar, ganó tiempo eligiendo unas botellas, fregó la balda de cristal y, finalmente, relajó la espalda como si hubiese llegado a alguna conclusión; recién entonces se dio la vuelta, hizo una señal a los mulatos con la cabeza y desaparecieron juntos en la oscuridad de su oficina.

Omara estaba atenta a lo que sucedía y no por eso interrumpió su discurso. Siguió hablando muy deprisa, como si quisiese distraer la atención de Jotabé:

—Pues como te estaba contando, y no te pierdas, Jotabé, van y le dicen a mi hermana que su marido la reclama, nos llevan a la comisaría, nos hacen preguntas. Pero qué pasó. Que cuando ellos me hablaban, yo reía, primero porque hablaban en una lengua muy extraña, y me hacía mucha gracia. Luego, cuando hablaban en francés, me seguía riendo porque tampoco entendía nada. Los negros murmuraban: «Esta negra lo que se está es burlando de nosotros» Y mi hermana: «No te rías, no te rías, por favor, que lo que te están diciendo es muy fuerte».

»Me dejaron por incorregible y empezaron a investigar a mi hermana y ella les dijo que su esposo no la dejaba vivir. Después, muy seria, como si me estuviese traduciendo lo que decían los negros, me habló en español, que era como ellos no podían entender y me dijo: "Mira, esta es la mía, yo ahora le voy a meter un cuento a este hombre".

»Y mirándolo con cara de inocente empezó a decir que ella estaba muy desesperada, que venía para acompañarme a mí porque mi cuñado me odiaba, que pensaba volver a Guinea con él en cuanto yo estuviese a salvo en España.

»"Aunque una cosa muy rara me está pasando", le dijo al comisario mirándolo a los ojos, "es que me estoy enamorando de ti."

—Qué morro tiene tu hermana.

—Más que morro, lo que tiene son buenas piernas, y el comisario se las estaba mirando con mucha atención. Ese día llevaba falditas, y comenzó a contonearse como si se hiciera pis, mientras seguía diciéndole al comisario que le gustaba mucho y total, te la hago corta, se fueron a la playa y ahí mismo se echaron un palo.

Omara pegó un brinco e interrumpió su historia:

—Vaya, por Dios, lo que faltaba.

Julio estaba entrando en el local. Vestía, como de costumbre, un traje impecable, de esos que dan la sensación de que pueden mantenerse tiesos aunque estén vacíos. Pasó la vista por la barra, por la pista, buscó cerca del muro, en donde brillaba la estatua de la Libertad, en los rincones más sombríos, pero no pudo encontrar a Jamaica. Estaba pálido, a pesar de las luces rojas que le pintaban el rostro, parecía más viejo y bastante cansado. Finalmente se acercó a la oficina y golpeó con los nudillos.

Desde su puesto de vigía, Omara vio cómo Jamaica entreabría la puerta y un cono de luz amarilla y polvorienta invadió el local. Allí se quedó, su figura recortada por la luz, mirándolo asombrada. Con un gesto casi reflejo intentó impedir que Julio viese lo que sucedía dentro, por fin se decidió a dejarlo pasar dentro del despacho, donde estaba reunida con los gemelos.

—¿Quién es ese hombre al que miras tanto? —preguntó Jotabé—. ¿El senegalés del que se enamoró tu hermana, el que se llevó a la playa?

—Pues casi aciertas, blanquito, casi aciertas.

—¿Desde cuándo los senegaleses son blancos?

—Desde que los hijos de los blancos nacen negros y los hijos de los negros nacen blancos.

—No entiendo.

—Qué más da. Deja que te cuente mi historia, que es menos embarullada que la que estamos viendo. Además, de la mía me conozco todo y esta, sabe Dios adónde va a ir a parar. ¿Por dónde íbamos?

—Por lo del palo, ¿qué es?

—Jotabé, eres un niño, hay que explicártelo todo. Un palo es un polvo, mi amor, un polvo. Y todo el mundo lo dice: mi hermana, en eso, es buenísima. Cállate, que sigo.

»Yo estaba preocupada porque ya era muy tarde y ella no regresaba de la playa, entonces llamé a mi madre a Cuba para pedirle consejo y ella me dijo que a mi hermana le habían hecho un trabajo, que estaba amarrada.

Jotabé aprovechó:

—Por cierto, lo del amarre, lo que tú me contaste la otra noche, yo quisiera pedirte algo...

—Tú te callas y que no haga falta que te lo repita, Jotabé. Estoy perdiendo el hilo con tanta gente que entra y sale.

En el acto fue la propia Omara la que pegó un respingo y luego se quedó en silencio, con la vista clavada otra vez en la puerta:

—¡Madre divina, vaya noche, quién llega ahí!

La entrada del local, iluminada por luces verdes, enmarcó dos siluetas pintadas por el contraluz. Él era un negro altísimo, con la cabeza afeitada, ella una mujer muy rubia que se asía a su brazo como si se fuese a caer:

—¡La madre que los parió! ¡Gloria y Ulises! Esto se está poniendo cada vez mejor. Pues mira, te resumo lo que te estaba contando, porque ahora me tengo que ocupar de otra cosa...

»Salimos de Senegal... Espera, mira, mira, parece que no se deciden a quedarse. Gloria está inquieta y tira de Ulises hacia atrás. Claro, como no es ella la que va a perder el trabajo... Parece que retroceden, sí que se han salvado por un pelo. Mira, mira cómo se van abrazaditos. ¿Para qué habrán venido a mostrarse aquí? Unos minutos más, y se encuentran todos, como en un funeral. Jotabé, oye lo que te digo, algún día va a pasar algo serio. Pero a mí qué me importa; yo sigo con lo que te estaba contando.

Jotabé, nervioso, volvió a intentarlo:

—Mira, Omara, lo del amarre, yo te quería pedir...

—¡A callar! Mira lo que viene después, que te va a interesar mucho. A la mañana siguiente mi hermana llegó de amanecida con el policía y me dijo: «Él se piensa que yo te voy a traducir lo que está diciendo. Pero yo te voy a decir lo que me dé la gana y tú no te rías por favor, porque entonces vamos a terminar en la cárcel las dos».

»Él le hablaba a mi hermana en francés y mi hermana me decía muy seria: "A este me lo tiré anoche hasta dejarlo sin resuello y le he dicho que estoy muy enamorada de él".

»Volvía a hablar con él en francés con la seriedad de alguien que recita un artículo del código penal, y me miraba así, con esa cara del que está traduciendo y pensando una a una las palabras para ponerlas en fila: "Se piensa que voy a España a acompañarte, y que luego me vuelvo a vivir con él. Va a hablar con mi marido para que ponga el divorcio, porque cree que estoy loca por él. Pero que ni se lo sueñe".

»Yo, sin poder contenerme, comencé a partirme de risa. Y el policía se mosqueó y le preguntó a mi hermana por qué me reía y ella, con cara de mimosa: "Porque como no vine a dormir, ya suponía lo que podía haber pasado".

»El final de esta historia es que fuimos escoltadas por la guardia hasta el aeropuerto. Él, cuando se despidió de mi hermana, casi llora. En cambio nosotras, hasta España, no paramos y en el avión no dejábamos de reír. Y a trabajar internas y a olvidarnos de lo ocurrido, que teníamos que ganar dinero para sacar de Cuba a mi hermana menor, que ya está aquí.

—Omara, lo que yo te quería pedir...

—Mañana, mañana. ¿Qué prisa tienes por conseguir a esa blanca? Luego estarás toda la vida pensando cómo sacártela de encima. Y ahora déjame en paz, que estoy borracha.

* —¿Federico? ¿Desde dónde me estás llamando? ¿Desde Londres? Ah, que vas a venir, qué suerte. Tu hermana... ¿Solo por unos días? Oye, te ha cambiado la voz..., sí, más ronca. ¿Que tienes algo importante que decirme? No me dejes en ascuas, Federico, ya sabes lo ansiosa que me pongo. ¿Una buena noticia? Sí, hijo, podré soportar la espera, no te burles de mí. Claro que puedes venir a casa. ¿Que si he dejado de fumar? ¿Desde cuándo estás tan puritano? Cuando te marchaste, fumabas como un carretero. Mira, no estoy para recibir órdenes, es mi casa ¿sabes? Ya tu padre... Más gente mató la intolerancia que el tabaco... Oye, no te habrás hecho de alguna secta... No pienso aguantar ni una orden más en lo que me queda de vida. ¿Que me calme? ¿Por qué piensas que estoy nerviosa? ¿Que estoy chillando? Vale, perdona, me dejo de tonterías. Anda, adelántame algo, ¿qué me quieres contar? Bueno, no insisto, le diré a tu hermana que le has comprado un puzle tremendo, le encantará verte. ¿Sola? No tanto, ahora vive con nosotras Omara, ¿que quién es Omara? Bueno, ya te contaré. ¿Tres mil piezas? Tendremos que cambiarnos de casa para que pueda armarlo. Sí, hijo, sí, como tú quieras, me encantará que vengas.

* —¿Viviana? Qué casualidad, acababa de cortar con mi hijo... Sí, está bien, dice que viene pronto, que tiene algo importante que contarme... ¿Tú qué crees? ¿Que no empiece a comerme el coco? Tienes razón. ¿Vendrás a llevarte el sillón? El rojo, sí, te acuerdas, el que tengo en el salón. Está muy bien, casi nuevo, ¿mañana por la tarde? No, mujer, cómo se te ocurre, te lo regalo... Como te iba diciendo, mi hijo, el pájaro empieza a volar, ley de la vida... ¿Que no sea cursi? Por cierto, estás muy hogareña, ¿has conocido a al-

guien? ¿Que no te interesan los tíos? ¿Qué no estás para que te toquen las narices? Uf, chica, venga, cálmate, sí, ya sé que vas a cumplir cuarenta y... cinco. ¿Cuarenta y cinco años soportando que la gente? Bueno, no será tanto, ya hablaremos.

* *Marga, concéntrese en usted misma, no tiene por qué gastar su sesión en preocuparse por sus amigas, lo de su hijo ya lo averiguará, no sea ansiosa. Por cierto, ¿cómo va esa novela?*

Mentirle a la psicoanalista es una estupidez, ya lo sabe, pero le dijo que tenía dos capítulos escritos, dos, y La Voz a sus espaldas, cordial o aburrida. *Qué bien, Marga, qué bien. A ver, de qué van, cuénteme, cuénteme.* Ella con la mente en blanco, mirándose las puntas de los zapatos, comenzando frases que no van a ninguna parte, más bloqueada que la M30 en hora punta, pero oportunamente la salvó el gong, y Marga hace como si fuese a comenzar a hablar, se esfuerza por despedirse poniendo cara de «vea lo que se pierde por ese maldito encuadre, qué rígidas son las freudianas».

Luego, mientras se toma el café, piensa que va a tener que escribir algo antes de la próxima sesión o habrá que saltársela y se paga lo mismo vayas o no vayas, un pastón.

* Bamboleando las caderas al son del bongó, con las manos en los bolsillos, los gemelos salieron del local. Jamaica no los acompañó hasta la puerta, pero ellos no parecían preocupados. Más bien al contrario, pronto podrían dejar el hotel y regresar a casa, se aburrían en Madrid y las gestiones estaban saliendo razonablemente bien.

—Confío —dijo el de la derecha.

Y el otro completó la frase:

—... en que todo marchará.

—El marido es duro...

—... como un tronco. Sí que es duro.

—Como una piedra. Pero ya tenemos las fotos...

—*Oui.* Tenemos las fotos. Y aceptaron...

—... el dinero.

Las fotos habían partido hacia Senegal por correo urgente, pero no había llegado aún la respuesta. Ahora les tocaba lograr una entrevista con Gloria. Pero Julio había sido terminante sobre este punto de la negociación:

—Entrevistas no. No quiero que la veáis. Es tarde para hablar de estas cosas. Además, el niño nació blanco y, a nuestra edad, no volveremos a intentarlo. Ya podéis partir con vuestro secreto.

—Cederá —dijo uno de los mellizos—. Y será mejor que lo haga, chico, será mejor.

—*Tant mieux pour lui* —respondió el otro.

—*Pour les deux...*

Y dieron por terminada la conversación.

Como si estuviesen cronometrados, encendieron sendos cigarros, dieron una calada, y mientras sus cuerpos se borraban en las sombras, las calles vacías guardaron aún el eco de sus pasos.

* Cuando los vio alejarse del local, Jamaica permaneció inquieta. Eran dos tipos extraños, intercambiables, una suerte de doble amenaza que gravitaba sobre ella. Aunque, en realidad, no era ella la que tenía algo que temer. Pero, fuera contra quien fuera, el asunto no tenía buen aspecto.

Calmar a los gemelos durante unos días, vaya y pase, pensó. Detenerlos, imposible, las cosas no se quedarán aquí.

Eran las cinco de la mañana cuando bajó el cierre del local y, del brazo de Alexis, se dirigió hacia su casa. El griego había estado de viaje y reaparecía ahora, cuando nadie lo esperaba, sonriente y pánfilo. Le gustaban los hombres jóvenes, sobre todo en la cama, aunque no durante demasiado tiempo; en cuanto tenía que comenzar a criarlos como si fuesen sus hijos, comenzaba a detestarlos y eso sucedía siempre, tarde o temprano.

Thais, que había estado bastante tranquila desde su partida, volvería sin duda a la carga: el rostro huraño, la mirada crítica, los malos gestos y las demandas excesivas.

Distraído como de costumbre, sin imaginar siquiera lo que pasaba por la cabeza de Jamaica, con la chaqueta de hilo blanco sobre los hombros, Alexis encendió un pitillo, le dio dos caladas hasta que la brasa brilló entre sus labios y se lo ofreció a Jamaica. Mientras lo hacía la miró con la fijeza de sus ojos negrísimos, era un gesto afectuoso que la remitía a otros gestos, al final del placer y esto le hizo bajar la guardia; al fin y al cabo, no era más que una criatura, y estaba muy bien. Se tomó de su brazo.

—Vamos, Alexis, caminemos hasta casa.

Pasados los Ministerios, la Castellana era una arteria casi desierta mojada por los barrenderos. En la calle solitaria, mezclándose con el zumbido de algún motor, los tacones de Jamaica pespunteaban el silencio. Las puertas de los bares amontonaban cubos de basura y desde las ventanas señoriales no emergía luz; una brisa helada trajo un repentino invierno y Alexis ofreció su chaqueta a la mujer que lo acompañaba.

—¿No tienes frío? —preguntó ella.

Por toda respuesta Alexis pasó el brazo sobre sus hombros y la atrajo, como para transmitirle su calor. Iba tarareando una melodía extraña, mirándola de vez en cuando con una sonrisa entre divertida y tímida. Sonriendo también, Jamaica dejó vagar su imaginación y comenzó a tranquilizarse, qué sentido tenía estropear la noche, negarse a ese muchacho, a su abrazo, ya estaba relajada cuando pasaron por la Biblioteca Nacional y, a la altura de Cibeles, detuvo un taxi. El cielo se había encapotado y un viento fresco acercó un aroma de lluvia cuando Jamaica se dejó besar suave, muy suavemente y al bajar del coche ya estaba perdida en esa especie de amnesia que es el sexo y comenzaron a abrazarse en el portal, a acariciarse en las escaleras, a desvestirse como dos cachorros juguetones antes de llegar al segundo piso y, cuando abrieron la puerta riendo, chocaron abruptamente con el rostro adusto de Thais.

* Tendido en su cama, Jotabé enciende un pitillo en la penumbra. Lo que lo rodea es nuevo y hermoso, ha cambiado de casa hace poco, pero, en lugar de sentirse feliz, se siente desprovisto como un náufrago en medio del desolado océano. Intenta escuchar música, pero no puede, está inquieto. Con el mando en la mano, comienza a hacer zapping. Una película, cualquier cosa que lo distraiga; solo encuentra anuncios, programas que hablan de salud, seres desagradables que narran con el vigor de un converso cómo se han salvado de la gordura, de la delgadez, de la soledad, de los dientes amarillos, de las pulgas del perro, de la caspa. La televisión, a esas horas tardías, parece tomada por un ejército de fanáticos abocado a la tarea de disuadir a cualquiera que la encienda. Si él siguiera sus consejos, tendría que salir corriendo a la calle y lanzarse a comprar todas esas cosas deprimentes: hierbas laxantes, fajas reductoras, pegamentos

para dentaduras postizas, polvos contra el olor de pies. ¿Por qué se supone que los espectadores nocturnos están tan decrépitos? Apaga el televisor e intenta leer, tampoco ahora logra concentrarse, las letras danzan ante sus ojos sin ton ni son. Finalmente, descorazonado, contempla la enorme habitación donde los muebles de diseño se expanden en la amplitud de un piso que no ha perdido su aire inconsistente, provisional.

Como las relaciones en las ciudades, se dice Jotabé. En cualquier momento, la persona que más quieres puede desaparecer.

Calzándose las pantuflas, se levanta de la cama. Su mujer le repetía que era el único hombre capaz de amanecer con el pijama planchado. Se mira en el espejo: parece un niño bueno al que su madre acaba de bañar. ¿Quién podrá enamorarse de él, con esas pintas? Embutido en su bata de seda avanza por el pasillo y, sentado en el amplísimo sillón, se sirve un whisky. ¿Le hablará a Marga de su esposa? Primero se ve recordándola con ella, poniéndose la máscara de su antiguo dolor, disfrutando de la exhibición de cada detalle, despertando su piedad. Tendrá la oportunidad de revivir las viejas historias, de vestir el disfraz de los sentimientos pasados y volver a sentir la compasión del prójimo. Un viudo es un viudo, y no puede negarse la capacidad seductora de la compasión. No, es lamentable usar esas armas. Mejor no le contará nada: se casará simplemente con ella, compartirán todo, volverán a comenzar: serán socios del mismo club, leerán los mismos libros, disfrutarán con las mismas películas. No van a separarse ni un instante. Solo los domingos por la mañana, en los que él madrugará para prepararle el desayuno. A su mujer le encantaba que le llevara el desayuno a la cama los domingos, ¿y a Marga? Pero luego cae en la cuenta de que no es bueno que intente repetir las circunstancias de su matrimonio y cambia de plan: dejará que Marga lo decida todo, absolutamente todo. Incluso los domingos desayunarán temprano, en un bar, leyendo el periódico. Él detesta desayunar en un bar, pero si ella lo prefiere así... ¿Qué demonios está diciendo, si no han cruzado más de dos o tres frases triviales?

Había momentos, como ahora, en los que deseaba quedarse solo para evocarla. Graduó las luces para que fuesen tenues, cálidas como para envolver el recuerdo, hizo tintinear los hielos en el vaso y, con su alegre sonido, volvió a la noche de Los Bongoseros de Bratislava, a Marga. Pensar en ella era la manera más hermosa y liviana que tenía de escapar de su vida, era un recuerdo más próximo que triunfaba sobre el recuerdo de lo que ya no podía ser.

¿Cómo acercarse a ella? Para enamorarse hace falta una buena dosis de vanidad, y le resulta difícil imaginar que ella quiera convertirse en el centro de su vida.

Soy muy aburrido, ni siquiera sé bailar.

Se dice que no debe pensar en estas cosas. Cualquiera es digno de... Vaya tópico; no es cierto, no cualquiera es digno de ser amado. Gran parte de la gente que lo rodea no lo es. ¿Y si llamara a su hijo para pedirle consejo? Se sirve otro whisky. Son las cinco de la mañana. Como un abejorro veloz, cruza por la ventana el sonido de una moto, ulula una sirena, sube hasta la sala la melopea de un borracho. Están limpiando las calles.

En Chile, calcula mientras cierra las ventanas, serán las once de la noche, tal vez podría encontrarlo aún despierto. No, mejor no. ¿No es penoso que un padre llame a un hijo, a tantos kilómetros de distancia, solo para preguntarle cómo tiene que abordar a una mujer? Además, ¿qué sabe él de la soledad?

Es una noche pesada, en la que cuesta moverse. De pronto el cielo se estremece, rueda el trueno, se iluminan las nubes con la intermitencia del rayo y, por fin, explota una vehemencia de lluvia fresca.

* Nin había logrado que Omara se durmiese, y su cuerpo grande y gordo ocupaba casi toda la cama. Ella, en cambio, con tantas historias en la cabeza, no puede cerrar los ojos. Además, se ha cansado de empujarla para que le haga un lugar.

Lentamente se levanta y, descalza, va a asomarse a la ventana. Ya no quedan luces en la ciudad; mojada y vacía, la calle es una exhibición de brillos que centellean sobre el asfalto. Bajo una farola, un charco devuelve al cielo su fulgor de espejo. Está cubierta la acera de hojas amarillas que la fuerza del agua arrancó de las ramas y, en lo alto, entre las nubes grisáceas, asoma un hondo azul.

De pronto, el cielo perdió profundidad y comenzó a colorearse con la palidez del alba. Escapando de la noche, los edificios acercaron las ventanas al espejeo del sol y las farolas aún exhibían sus luces cuando clareó.

Amanecía ya más tarde, la entrada del otoño alargaba esos instantes inciertos en los que la más densa oscuridad se disuelve en luz, en que las cosas se sacuden el negro de la noche y se dejan pintar por el alba. Qué pena que todos estén dormidos, pensó Nin, que nadie pueda ver el milagro.

* Mientras tanto, Gloria duerme ignorándolo todo, ni los truenos ni la lluvia han logrado arrancarla del sueño. Desde que ha vuelto al trabajo, los días son una sucesión de actividades que se encadenan entre sí sin dejarle un minuto de

reposo. Se revuelve en la cama en un sueño inquieto. A su lado duerme Julio, dándole la espalda. Entre ellos se ha abierto un abismo y le parece que nunca ha visto los hombros que suben y bajan a su lado bombeando el ritmo de la respiración; es como si la vida hubiese arrojado juntos a dos desconocidos que afrontaran la situación evitándose, insensibilizándose.

Le gustaría encender la luz, está incómoda, no quiere moverse por miedo a despertarlo. Si se despierta, ¿qué hará?, ¿tendrán que hablar? Es muy tarde, el momento en el que se tienen las peores ideas, la sensación de que nada se puede arreglar.

Le tengo miedo, piensa dolida.

Es un miedo desagradable e injusto que en cualquier momento rebrotará convertido en culpa. Pensándolo bien, toda esta confusión no es más que dolor, la pena inmensa que le causa tener que desprenderse de él. Sufre tanto que lo trata con dureza.

Si continuamos alimentándonos con veneno terminaremos convertidos en cucarachas. Y, al darse cuenta de lo que ha pensado, siente una terrible angustia y se pone a llorar.

Una mano se coloca sobre su hombro, como si la protegiera, y Julio, semidormido, abre los ojos, ve la espalda de su mujer que se agita y tiene la sensación dolorosa de que acaricia una inesperada y triste soledad.

* —Es culpa tuya —gritó Jamaica—, tú lo has estropeado todo. Es tu culpa, Alexis, tendrías que haberme dicho que pasaba algo entre vosotros. Ahora Thais se ha marchado. Tantos años aguantándola para terminar así. Eres un bobo, Alexis, un tonto rematado.

Alexis, mudo, está sentado sobre la cama con la cabeza entre las manos. La discusión entre madre e hija ha sido bestial; él no las comprende, no entiende casi su idioma, pero le resulta evidente quién sobra allí.

Entra en la cocina y, por primera vez desde que vive en esa casa, coge un barredor y se dedica con parsimonia a recoger los restos de la vajilla que Thais y Jamaica han hecho estallar contra el suelo. Detesta las peleas entre mujeres y lo que ha sucedido es una pena, porque en esa casa se estaba bien. Mañana mismo volverá a Barcelona, buscará su barco y regresará a Creta.

No, no tiene por qué aguantar. Al fin y al cabo, solo ha coqueteado un poco con Thais, no es razón para montar esas broncas. Qué diablos. En su tierra, él es el rey, el sultán, el niño de los ojos de su madre.

Recoge los trozos de vajilla, los cristales, los echa en el cubo de la basura. Friega una taza que quedó sucia y la seca concienzudamente. Luego pasa revista a la cocina con nostalgia. Lo ha pasado bien, es verdad. Pero demasiado tiempo fuera de casa hace que eche de menos su tierra y, además, ya es hora de sentar cabeza.

* Ya en la oficina, Gloria llama a Viviana.

—Tengo una traducción para ti.

—Genial, necesito dinero.

—¿Irás el viernes a la clase?

—¿Vamos a hablar de trabajo bailando?

—Quiero pedirte un favor.

Cortó. La noche en vela la había dejado agotada, necesitaba descansar. No solo era eso, en realidad, lo que le hacía falta era ver a Ulises. Ya. Pero ¿cómo?

Se siente otra vez inquieta y, para acallar la picazón de la culpa, llama a casa por quinta vez.

La canguro, con su habitual tono de desenfado, le pregunta, gritando entre el estrépito de la música que sale del auricular:

—Oye, tía, ¿es normal que el niño se ponga azul? Vamos, Gloria, no seas histérica, tía, era broma, qué pesada, no nos dejas en paz. Por cierto, te ha llamado un hombre por teléfono. Parecía extranjero.

* —Que si me dejas tu casa... Por unas horas, nada más.

Viviana observa a Gloria. Ha cambiado muchísimo. No solo parece mayor desde que nació el niño, sino que, además, tiene una mirada huidiza y triste. Va a preguntar algo, se contiene. Al fin y al cabo, ¿quién es ella para meterse en la vida de los demás? Simplemente le responde:

—Sí, te dejaré la llave, no te inquietes, sé guardar un secreto.

Gloria se ha mantenido en silencio, casi sin mirada, y Viviana sabe que, a la vez que la ayuda, la está mortificando. Sabe también que después de hacerle este favor quedará en una mala posición frente a ella. A la larga, la gente suele dejar de ver a los amigos que son testigos de algo que los avergüenza. Y, tarde o temprano, es posible que Gloria quiera olvidar.

* —Qué suerte que tenés, Viviana, vivís en Europa.

—Qué lindo, che. Una vez fui de vacaciones.

Estás encerrada fuera, Viviana, presa en un exterior demasiado vasto. Intentas controlarlo todo, enclaustrarte entre las cuatro paredes de esta casa, tratas de esconderte tras un tarro de pintura y un sillón.

Cuando pensaba estas cosas, Viviana se disolvía en mitad de la nada. Era tarde para regresar, la extranjería ya había fraguado.

En Europa se pasea, Viviana, a ver si lo aprendés. Aquí todo el mundo gana bien, es feliz, consigue todo lo que se propone. Al menos eso es lo que creen todos los argentinos que vienen a hacer turismo, los que fantasean con una emigración que poco tiene que ver con lo que en realidad les espera al llegar.

Solo se trata de montarse en un micro y recorrer cuidadísimas rutas: de la tour Eiffel al parque Güell, del Támesis al Coliseo, de las Rías Baixas a Ginebra. Qué lindo, Viviana, ¡Europa! En Europa nadie se siente solo, ni busca trabajo, ni cierra nunca la boca de tan admirado que está. A ver, repite: en Europa se-pa-se-a, Europa es-lo-me-jor.

Europa, esa masa indiscriminada, ese aluvión, ¡Europa!, siempre entre signos de admiración, un continente ensimismado, abarrotado de fronteras, siempre bordeando la guerra, con una mala síntesis de idiomas, etnias, modalidades, manías, encerrado en sí mismo entre alambres de espino para que nadie pueda entrar.

Estoy encerrada fuera, continúa pensando mientras se tira sobre la sábana que cubre el sillón rojo, libre, excesivamente libre tal vez, dolorosamente libre, como solo lo están los que ya no tienen nada, más relajada desde que no escribe, desde que las palabras no colisionan cada vez que abre la boca. No te preocupes, se dice, es cuestión de dejar que el tiempo pase.

El tiempo pasará y ya no más Felicitas Coliqueo, ese espectro, ese dolor.

Ahora tiene que ordenar la casa para cuando venga Gloria: tarros de pintura, periódicos por el suelo, muebles cubiertos con sábanas; en Europa, en América o en la China, este caos es cualquier cosa menos el escenario para una cita amorosa.

* —Al principio —dijo Omara con la voz de Felicitas Coliqueo—, el indio tenía ayuntamiento por aquí y por allá incluso con araucanas (era muy rico, y podía permitírselo), pero pronto cambió de idea y la cópula carnal la hizo solo conmigo.

Nin, que estaba abriendo su mochila para sacar el libro de inglés, levantó la vista hasta ver la cara de orgullo de la negra.

—No te olvides de que mi piel es ebúrnea y mi cabello áureo...

La niña se detuvo en seco y comenzó a escucharla. Aquello era mucho, muchísimo más interesante que el examen que tenía que preparar. Entonces Omara bajó la voz y secreteó al oído de la niña:

—Aunque no te lo creas, él me eligió entre todas las demás. —Y guiñando un ojo—: Ya comprendes... —Luego, mirándose en el espejo del recibidor, acariciándose el pelo como si en lugar de los negros caracolillos que se le pegaban a la cabeza estuviese acicalando una larguísima melena, continuó—: Tanta exclusividad no hacía más que traerme problemas con las otras cautivas que, al principio, me trataban mal. Yo era una dama, ¿sabes?, una dama en el verdadero sentido de la palabra, acostumbrada a las faldas de tafetán y al miriñaque, a la muselina y a la sombrilla. Por eso no quería lavar, ni cocinar, ni cortar la leña; menos aún domar potros, cuidar el rebaño, o ayudar a levantar toldos, como me exigían las otras mujeres. —Dudó unos instantes antes de seguir, la mirada perdida en sí misma—: La verdad es que lo único que yo deseaba, y cada día con más ansias, era servir como instrumento para los placeres brutales de la concupiscencia.

La preciosa voz de Felicitas Coliqueo pareció descender dos o tres notas, las vocales se abrieron y alargaron, se suavizaron las consonantes mientras Omara, sacudiendo a Nin por un hombro, le decía con brusquedad:

—¿Qué es lo que te pasa a ti, chica, que estás como en otro mundo, como traspuesta? Tú te me pones a hacer la tarea ahora mismo, mi amor. Y vamos a merendar, que estás delgada como un palillo. Vamos, Nin, andando, que es tarde y tu madre se enfadará con las dos.

Y mientras la niña comía lentamente una manzana y se dedicaba a preparar su examen de inglés, Omara, aburrida, se colocó a sus espaldas y comenzó a hacerle trenzas muy finas por toda la cabeza; iba haciendo un redondel, le daba vueltas como una escultura, como un remolino. Nin, relajada y somnolienta, mientras intentaba aprenderse los verbos de memoria, la dejó hacer.

* *Qué bien, Marga, qué bien. A ver, de qué van esos capítulos, cuénteme, cuénteme*, repitió La Voz. Luego: *Vamos, anímese, ¿cómo va esa novela?*. Y Marga tendida en el diván, los ojos que pasan de la punta de sus pies al techo, del techo a la cortina que tiene enfrente y que separa con cuidadosa asepsia ese muro de los lamentos del pedestre patio de vecinos donde se oye el batir de algún tenedor, el ladrido de un perro, los gritos de los niños.

Vamos, Marga, un esfuercito, inventa algo o no la vas a mover de ahí, un sueño, cualquier cosa, cuéntale lo que se te pase por la cabeza, que eso le encanta, cuanto más raro mejor, caldo para la interpretación, no puedes sostener este silencio, estas mentiras infantiles, y mientras Marga piensa, oye su propia voz, como si las palabras la poseyesen, una voz que sale de no se sabe dónde, historias que escuchó en su casa, tal vez, de su hija o de Omara, algún disparate de esos con los que la negra hipnotiza a Nin, algo que soñó o se le metió en la duermevela como una pesadilla y se oye decir, ya lo está diciendo:

—Estoy escribiendo la vida de una mujer, una novela histórica, creo. El nombre de la protagonista ya lo tengo, es un poco raro, no sé con qué tiene que ver, pero se me ocurrió de pronto. Usted tal vez me ayude a interpretarlo. Felicitas Coliqueo, se llama. Sí, así se llama.

Y la voz sin matices de su terapeuta repitió, como un eco, a sus espaldas:

Felicitas Coliqueo, Felicitas, dice... ¿Y no se le ocurre nada? La interpretación es fácil, casi obvia, diría yo. Usted, Marga, se «felicita» a sí misma porque por fin lo ha conseguido, ¿ve cómo aflora el inconsciente en el juego de palabras? Sí, es muy, pero muy interesante.

* Y mientras Nin repetía los verbos en inglés, mientras se dejaba sobar la cabeza, escuchaba a la vez las palabras que resonaban a sus espaldas y que habían caído allí, luego de un breve temblor de la tripa de Omara, luego del preámbulo habitual del castañeteo de los dientes. Así dijo la voz:

—Había garzas, Nin, bellos pájaros blancos que sobrevolaban las lagunas, y flamencos, cisnes, patos. Cuando se hacía la tarde, cuando se inclinaba sollozando al occidente, cuando el manto de las estrellas cubría el abismo de la noche, yo me sentaba en la puerta de la tienda y me ponía a meditar. El indio dormía a pierna suelta porque bebía mucho. A veces me obligaba a beber, o se quedaba como desmayado después del fornicio. En esos ratos, cuando estaba sola, cuando dormitaba sobre las blandas alas del sueño, sobrevolaba la voz de mi conciencia: «Felicitas, Felicitas», resonaba en mi interior como en una habitación vacía; «Felicitas, estás pecando». Luego, nada más. Solo el chistido agorero de una lechuza, la carrera de alguna liebre hacia su madriguera, el vuelo pesado y sorprendente de un chajá, los melancólicos silbidos del avestruz. Así era la pampa por las noches, pecara yo o no, porque la pampa es tanto el cielo que te cubre como la tierra sobre la que pace el ganado. Y la naturaleza es indiferente a las penas. Al principio, el indio me forzaba ya que yo tenía en la cabeza que eso era pecar. Pero luego entré en razón porque me gustaba muchísimo y la verdad es que hubo un momento en que lo dejé hacer y llegué a la conclusión de que igual sería la penitencia, con gusto o sin él, y otro tanto me sucedía con el número de los fornicios: tanto te quemas en el infierno por uno como por cien. Estas cosas tenía yo en la cabeza cuando no estaba yaciendo con mi indio, y, si había luna llena, si la blanca claridad borroneaba las estrellas, entonces más me quedaba pensando, viendo cómo la luz de la luna iluminaba el contorno de la tierra abismada sobre sí misma, redonda como un tambor. Porque nada, nada había en el horizonte: ese lugar era el origen del mundo, estaba allí antes de que se inventaran las montañas o el mar. Ni una luz, ni un monte, ni una casa, ni un rancho, ni nadie que viniese arrastrándose entre totoras y pajonales para salvarme. Solo algún perro que aullaba a la luna llena inquietando a los pájaros que revoloteaban nerviosos levantando en el silencio un chaparrón de alas. Y de pronto, un caballo entraba galopando, rompía el espejo de la laguna, y los flamencos peinaban de rosa la primera luz. Era el sol una sangría en la palidez de la alborada. Entonces yo me decía: «Que se calle la voz de mi conciencia, que se calle esa pesada. Estaré pecando, pero, por lo menos, lo hago con gusto». Así, solitaria, barruntaba hasta que se asomaba el sol, como un abanico de fuego.

* —Mi marido era un bruto —insistió Domitila, en voz baja, casi al oído de Jamaica, frunciendo los labios con su habitual gesto de desdén.

Estaban sentadas en el banco de una plaza de Caracas, bajo los árboles pesados que velaban las últimas luces del ocaso. Jamaica, aunque era muy joven, había perdido cuanto podía perder; no tenía papeles, ni trabajo, ni dinero. Estaba delgada como un perro de la calle. Domitila preguntó:

—¿No te cansa escucharme? Al fin y al cabo, hace poco que nos conocemos, y tú estás mucho peor que yo. Es mejor que regreses a España. ¿Qué haces aquí, qué te retiene?

—¿Regresar? ¿A la España de Franco? —Reflexionó durante unos instantes y continuó—: Aunque aquí tampoco me queda nada, he agotado todas las posibilidades de Venezuela; me metí en política y terminé mal, no tengo dinero, ni trabajo, ni papeles, ni casa, ni pareja, y mis amigos o están presos o han huido en desbandada... No se puede estar peor.

Ambas permanecieron en silencio. El sol, en el reborde de la plaza, se ocultaba con un brillo intenso, rojo como nunca, sanguinolento; luego pareció velado por una nube verdosa, casi sobrenatural. Era un fulgor raro, que ninguna de las dos muchachas había visto jamás, y que hizo que permanecieran en silencio observándolo. De pronto, del submundo emergió un rugido de motor y la tierra comenzó a temblar. Frente a sus ojos vieron que el pavimento se ondulaba como una alfombra agitada por el viento y un solo grito, surgido de cien gargantas, anunció que el edificio que estaba a sus espaldas se estaba desplomando.

Duró solo tres minutos el temblor, pero, entre la gente que corría desnuda o a medio vestir por las calles, entre el ladrar atónito de los perros y el vuelo desorbitado de los pájaros, entre los gritos de la gente que vagaba perdida o llamando a sus familiares, Jamaica, abrazada a Domitila, cerró para siempre una de las más importantes etapas de su vida.

—Siempre se puede estar peor —repitió.

Y Domitila:

—Es cierto, todo es empeorable. Pase lo que pase, estaremos juntas.

—Juntas, aunque la tierra tiemble —completó Jamaica. Y, conscientes por primera vez de que la vida no era eterna, lloraron abrazadas.

Pocos días más tarde Jamaica vería por última vez a Domitila, y eso fue la mañana en la que abandonó el país. Antes de que hubiera tiempo suficiente para encontrar todos los cuerpos que habían quedado sepultados bajo los escombros, antes de que el hedor la empujara, decidió partir. Claro que, entonces, aún no se llamaba Jamaica.

* —Siempre se puede estar peor, Viviana, sé lo que te digo. Los argentinos sois muy llorones, demasiado tango en el biberón, demasiado psicoanálisis, por eso te sientes así. Hay muchas formas de ver las cosas. Ya te conté lo del terremoto, me acuerdo de ese día como si fuese hoy aunque han pasado

muchísimos años —dijo la voz de contralto de Jamaica por el teléfono—. Deja ya de quejarte, de dar vueltas, no es para tanto. ¿O es que no lees el periódico? ¿Que no te sientes de ninguna parte? Eso puede ser bueno, depende de cómo lo mires. Además, según va el mundo, todos seremos pronto de ninguna parte. Lo mismo me pasa a mí. Mira, te voy a contar un secreto, para que te rías un poco, jura que mantendrás la boca cerrada. ¿Que no hablarás ni muerta? Bueno, te creo, ahí va. Yo no me llamo Jamaica Bronx, como todo el mundo cree. El nombre me lo cambié hace años, es una historia muy larga. Fue cuando dejé Venezuela dispuesta a regresar a Madrid. ¿Que si soy de aquí? ¡Claro, qué te pensabas! De Guadalajara, pero no la de México, sino de Castilla-La Mancha. Alcarreña, tú. Inesperado, ¿verdad? Mi nombre no vas a poder creértelo. Me llamo Inmaculada Concepción. Una broma de mal gusto de mi padre, que no tenía dotes de adivino. Con ese nombre, qué otra cosa podía esperarse sino que me quedara entre las sábanas, las pocas veces que me acostaba con alguien, solo una profunda sensación de culpa. Nadie puede transgredir nada llamándose Inmaculada Concepción, qué quieres que te diga, y aquellos tiempos eran difíciles. Mi apellido también es muy corriente: Pérez. Lo cambié por Bronx para molestar a mi marido. Jamaica Bronx me gusta, suena como un puñetazo en la mandíbula, y así nadie sabe de dónde soy. ¿A que no te lo puedes creer? Pues sí, créetelo y deja de reírte. Yo me llamo Inmaculada Concepción Pérez.

* Ya le decían Inma en Venezuela. Su nombre, el de ahora, era producto de una intrincada historia. Al recordarla, Jamaica regresa a los días que prosiguieron al terremoto, al barco que la alejó de Domitila, vuelve a ver su cabellera

rubia relumbrando entre los cuerpos morenos de la gente del país, el pañuelo rojo agitándose cuando ya ella no lo podía casi ver, las lágrimas que le nublaron la visión del país en el que había vivido tantas cosas, las costas que se afinaban y desleían hasta convertirse en un hilo fino y azul.

Se sitúa en el punto en que comienza una nueva vida. Atrás quedaban ya la España de la posguerra, Domitila y Venezuela, esta especie de exilio o de retorno que cuajaría en otra cosa, en algo tan inesperado como una historia de amor.

¡Una nueva vida! Eso fue lo que exclamó al ver que la suave y oscura línea verdosa que aparecía en el horizonte se hacía gradualmente visible hasta convertirse en las costas de Jamaica, ese verdor casi sobrenatural que brillaba entre el aire húmedo, las luces que poco a poco se fueron encendiendo aureoladas en el crepúsculo, la rampa para desembarcar por la que ambos descendieron jurándose que se quedarían allí para toda la vida.

Max era un hombre sorprendente. Al principio ella no supo situarlo, luego comprendió que era uno de esos sajones amantes de lo exótico que provienen de una familia tan rica que puede permitirse, sin que se le mueva un pelo, una oveja negra del calibre de Max.

Podía tanto lanzarse en paracaídas como retar a duelo a un rival, podía perder todo su dinero en el juego o ganar una fortuna en una sola noche, podía enamorarse perdidamente y ser el más amable de los amantes o podía también convertirse en una bestia.

Jamaica, en aquellos años, era una isla difícil. Preocupados por el triunfo de Castro, temerosos de la expansión comunista, muchos querían vender sus casas y huir hacia a saber dónde, sobre todo aquellos que tenían algo que perder, como los habitantes de las zonas altas, y casi todas las casas lujosas de Brown Hill ostentaban carteles de EN VENTA. En cambio, la gente de Spanish Town no se preocupaba por estas futilezas, comía su curry, freía su pescado, tomaba cerveza del tiempo hasta emborracharse o se envolvía en los vapores de la marihuana hasta perder la conciencia. Total, nada podía irles peor. Y tal vez hasta podrían ganar algo si, como prometía Fidel, se repartían las riquezas.

Pero Jamaica, para entonces aún Inma, no se dejó asustar. Había aprendido bastante en Venezuela, más aún que en la España en blanco y negro que había dejado atrás, y no le impresionaban los robos constantes ni el alboroto permanente. Dejó que Max fuese y viniese a su antojo mientras ella montaba un bar en Kingston. Allí se escuchaba música española o venezolana, porque nadie es profeta en su tierra, y se reunía tanto la élite cultural como toda esa población lumpen que llegaba en peregrinación a Jamaica en busca de lo exótico, o de la música, o del clima, o de la droga, o de nada, y que terminaba recalando definitivamente allí cuando se le acababa el dinero.

El bar estaba pintado de colores chillones y permanecía abierto las veinticuatro horas del día, con sus inmensos altavoces colocados en la puerta que convocaban a todo el que pasase por la calle. Los que tenían dinero entraban y se bebían una cerveza Dragon Stout o una Red Strip, y los que no, se sentaban fuera para escuchar la música, fumar unos puros de a saber qué, bailar o jugar al dominó.

Y quiso a Max. Cómo lo quiso. Lo amó durante años, permitiendo sus ausencias, sus excentricidades, sus despropósitos, hasta que las cosas comenzaron a estropearse. Vaya si se estropearon.

Las primeras semanas él se había dedicado enteramente a ella. La ayudó a encontrar el local, la acompañó por las noches, le enseñó a beber, a bailar nuevos ritmos, a fumar hasta levitar, a apostar a las cartas, a arrancarle a su cuerpo un placer que Jamaica nunca imaginó que cupiese en él. Le enseñó también a defenderse, a vestirse como si fuera una travesti, aprovechando su estatura y sus formas, y así la ayudó a situarse por encima de las mujeres y la protegió de los hombres, apabullándolos.

Pronto la isla no tuvo secretos para Jamaica, que se mezclaba con negros y blancos y orientales sin miedo alguno. No la asustaban los ladrones ni temía sus navajas, había arreglado para sí una de las tantas casitas bajas de Spanish Town, con frutales en el pequeño jardín, y, cuando no estaba en el bar ni borracha, solo esperaba a Max. Pero Max era un hombre inquieto, acostumbrado a las peleas a puñetazos, a las victorias difíciles. Y se cansó pronto de tanta dedicación. Le dijo que tenía que trabajar, aunque nunca le explicó en qué ni dónde; le dijo luego que tenía que partir, pero tampoco le aclaró por qué, ni cuánto tiempo estaría fuera y, finalmente, le dijo que la seguía queriendo, aunque ella sospechara que no era verdad.

Al principio se ausentaba durante días; luego fueron semanas las que pasaron sin noticias de Max. Cuando desapareció durante un mes, Jamaica empezó a preocuparse. Para colmo de males, se había enamorado por primera vez en su vida como una posesa y, al ver que no le hacía caso, se aferró aún más a él, lloró cada vez que la dejaba sola, lo insultó, suplicó, y de esta forma la convivencia se fue convirtiendo, poco a poco, en un infierno.

Avergonzada ante su propia situación, encerrada en el bar o en su casa, la muchacha se juraba terminar con todo aquello, llegaba a la decisión sensata de ponerle fin para caer luego, en cuanto él regresaba, en furiosos arrebatos en torno al sexo.

Pasó un año, luego dos, luego perdió la cuenta del tiempo que hacía que estaba allí y se hundió en un pozo del que no sabía salir. La gente acudía a su bar, conocía hombres, a veces se acostaba con alguno sin encontrar satisfacción. Se dedicó a engañar a Max con el secreto deseo de que él se enterara y, finalmente, lo logró.

Max dejó correr el agua bajo el puente, no se dio por aludido, luego, cuando ya no podía obviar la situación, hizo algo humillante: habló en público de las aventuras de Jamaica y se rio de ellas, como quien comenta los caprichos de una niña. Y si la muchacha hubiese sido medianamente previsora o, acaso, menos terca, aquella historia tendría que haber terminado allí; pero pocas cosas unen tanto como el rencor, así que siguieron juntos.

* Con el bolso aún en la mano, sin sacar la llave de la cerradura de la puerta de calle, Marga congeló el gesto. Venía contenta, luego de la sesión con su terapeuta tenía la intención de darse un buen baño e irse directamente a la cama, pero una voz la detuvo.

—¿Y la casa? —estaba diciendo Nin—. ¿Y la casa, Felicitas?, ¿cómo era el lugar donde vivías cuando te raptaron los indios?

Marga se quedó tiesa, no hizo un solo ruido, esperó atentísima a que siguiera la conversación. ¡Felicitas, había dicho su hija! ¡Felicitas!

Oyó el pesado girar de la lavadora, el sonido lejano del televisor, la freidora. Y, entre los sonidos cotidianos, la respuesta:

—Era una tienda, niña, como esas que les gustan a los alemanes cuando les da por la ecología. Y luego, en un tono más solemne: el interior estaba dividido por cueros colgados de armazones de madera y los compartimentos se alineaban de derecha a izquierda. El mobiliario era muy escaso: un catre con colchón y una almohada de pieles de carnero. Te preguntarás dónde guardaba yo mi lencería, mis trajes, que el indio, por fin, tuvo la merced de devolverme y con los que le gustaba disfrazarse por las noches. Pues ya te lo digo: algunos sacos de cuero de potro hacían de armarios. Como verás, era fácil de limpiar, no como la casa de mi marido en Buenos Aires, para la que necesitábamos muchísimo servicio.

A Marga le llamaron la atención varias cosas: primero, que la negra hablase en argentino. Ni la misma Viviana, cuando regresaba de Buenos Aires, tenía un deje tan fuerte. Las palabras subían y bajaban creando curvas melódicas impensables en la península, suaves, seseantes, casi italiano si se oía de lejos, las vocales abiertas, el lento empujar de la respiración en sílabas sorprendentes; luego la asombró el léxico trasnochado y, por fin, cuando su oído se acostumbró al cambio de registro, pudo escuchar atónita el relato más apasionante que había oído en los últimos tiempos.

Dudó unos instantes, luego, a hurtadillas, pudo con ella la tensión de la escritura; es decir, tuvo una idea magistral, digna de su imaginación, del arduo trabajo que había llevado adelante todos estos meses en busca de una historia: encendió la gravadora y la voz de Felicitas Coliqueo penetró y allí anidó, quedando plasmada para siempre jamás.

—Siento lo que siento lo que siento —susurró la voz—. No puedo terminar mi relato sin que comprendas antes cómo era él. Ahora estoy cansada, déjame dormir.

Y luego, en un tono cotidiano, era Omara la que irrumpía en la cocina con un bullicio de cazos y sartenes mientras le decía a Nin:

—Qué tú estás como transida, mi amor. Vamos, baja de la nube y termínate la sopa.

Esa noche también la imaginación de Marga galopó a toda velocidad, como una tropilla de caballos salvajes que hace resonar bajo sus cascos la llanura infinita y, ya muy tarde, cuando todo permanecía en silencio, cuando Nin y Omara dormían abrazadas en la cama de la niña, Marga se levantó como un resorte, se puso la bata y las pantuflas, avanzó impulsada por la historia que se le había metido dentro, se sirvió un vaso de vino y, de puntillas, encendió el ordenador.

Presa de un auténtico paroxismo creativo, escribió el título, dio forma al primer capítulo, fue traduciendo, volcando al español de la península el español de más allá del mar, dejó en blanco las palabras que no entendía, como «cojinillo», «lenguaraz» o «pialar», dejó atrás arcaísmos que no comprendía o que tenía miedo de utilizar mal, se juró que buscaría en el diccionario las palabras «inmarcesible» y «ebúrneo» para saber qué coño querían decir, fumando un pitillo tras otro, lanzando un humo de locomotora antigua, bebiendo como un cacique después de una orgía de sangre, se puso a teclear como si desde la vasta extensión de la pampa fluyese una catarata de ideas, como si por la pantalla corriese una sombra dispuesta a verter sus sensaciones en palabras aunque tropezara con su sentido, y así siguió hasta el amanecer, pues solo entonces se aquietaron los dedos y Marga, agotada, borracha como una cuba, con los pulmones asfaltados de nicotina, se arrastró hacia la cama.

Mientras dormía por fin, mientras se dejaba ir, brotaban de la impresora las primeras páginas de una novela sorprendente.

* —Termina lo que termina lo que termina —chilló la negra—. Escúchame ahora, Nin.

Concentrándose, se puso a tiritar como nunca, giró la cabeza y, con una voz sobrehumana y magnífica, clamó:

—Habla la que habla la que habla, este es el final de la historia, y lo cuento para quien me quiera escuchar.

»Tres años, tres, había pasado yo en los brazos del indio cuando mi esposo dio por fin conmigo. Mr. O'Mahara pagó el rescate, que era ubérrimo, cabalgó durante dos días por la vasta extensión de la llanura y condescendió él mismo en acompañarme de regreso a la ciudad. —Luego cacareó contenta—: Pagaron mucho, muchísimo por mí. Porque mi piel es ebúrnea y mis ojos glaucos. Tengo que reconocer que volví con él de muy mala gana, llorando todo el camino, y él me miraba con desconfianza porque ya se sabe lo que les pasa a las cautivas. Pero, aunque él pensara otra cosa, yo no lloraba de vergüenza, sino de pena. En la toldería vestía con alfileres de plata y cinturón con cuentas, adornos en el cuello y en las muñecas, porque el cacique ya me tenía querencia y hacía todo por complacerme. En cambio, en cuanto llegara a la ciudad, no tendría más remedio que ahogarme con el corsé, tocar el piano o bordar. Y yo ya peinaba trenzas y sabía montar a pelo, y qué quieres que te diga: me divertía más andar robando ganado, vendiendo ponchos en la frontera o fornicando con mi cacique que haciendo *petit point.* Lo cierto es que tenía ya dos hijos en la toldería que no eran ilegítimos ni nada, porque allí todo da igual y la amplitud de la pampa me gustaba más que la urbe. Por eso, cuando la diligencia hizo un alto, aproveché que Mr. O'Mahara se alejaba para hacer sus aguas y me volví a escapar. Desde entonces no he vuelto a tener noticias de él. No sé si fue porque no lo satisfizo mi conducta o porque ya estaba cansado de mí y aprovechó la boleada, pero lo cierto es que no volvió a aparecer por estos pagos. En fin, ahora, pasados casi dos siglos, creo que hice bien, ya sabes, escapándome, porque, con los hombres, todo es cuestión de suerte. En el mejor de los casos, me dije, no iba a tener tanta si me volvían a raptar, y podía tocarme un indio salvaje, de esos a quienes no les gusta el fornicio. Tanto temor me producía que me volviesen a rescatar, que una noche, en medio de la pampa, en brazos del indio, tuve una pesadilla tremenda y soñé que estaba otra vez en la casa de Mr. O'Mahara, en Buenos Aires, entre sábanas de hilo, aburridísima, con toca de muselina y lazos de seda rosa, haciendo croché. Entonces grité, aterrada entre sueños, intentando huir: «*A horse, a horse! My kingdom for a horse!*».

* —*A horse, a horse! My kingdom for a horse!* —gritó Nin sobresaltada, cuando ya comenzaba a amanecer.

De un salto salió de la pesadilla en la que se mezclaba el examen de inglés con las historias de Omara, se sentó en la cama, sudorosa, respirando con agitación, pero, aunque se moría por un vaso de agua, no tuvo valor suficiente para bajar y buscarlo. ¿Y si la atacaban los blancos? ¿Y si había alguien escondido bajo su cama y la aprisionaba asiéndose de sus tobillos? Las piernas le dolían de tanto galopar por la pampa. Poco a poco, la arenilla que nublaba su visión dio paso a la realidad, al dibujo de los objetos familiares: estaba en su habitación. Henchida por el viento, la cortina le pareció la ubre de una vaca gigantesca.

Por la puerta abierta entraba el siseo de la impresora lanzada a toda pastilla, y también los ronquidos de Omara. Siguiendo ese ronroneo tranquilizador se aventuró por fin hacia la cama de la negra y le sacudió un hombro:

—Omara, Omara, tengo pesadillas.

Sin abrir la boca, la negra levantó las sábanas y le hizo un lugar, la dejó acurrucarse entre sus pechos como melones, le acarició el pelo que aún llevaba trenzas.

—Ay, Nin, seguro que te he asustado mucho con mis historias. Ahora las vamos a olvidar. Vamos a hacer una cosa que siempre funciona, voy a recomendarte un sueño, Nin, vas a ver qué bonito es. Cierra los ojos, mi niña, que ya mismo te empiezo a contar. Luego lo sigues como más te guste.

Y con una voz monótona, como si recitase un mantra, comenzó a susurrarle la lista de sus hermanos, de sus sobrinos, habló de todo aquello que se había quedado en Cuba, de La Habana Vieja, del olor pesado de la ciudad, le contó cómo disfrutaba cuando era aún delgada y se parecía a Miriam Makeba, cómo bailaba descalza en la playa, y viendo el mar azul y las olas, mecida por el aire del Caribe, Nin se volvió a dormir.

* Marga, a media mañana, después de escasas horas de sueño, súbitamente despertó. Se había dejado llevar por la modorra, por el sentimiento de éxito, pero de pronto había recordado a su hijo. ¿Qué pensaba anunciarle?, ¿una novia?, ¿un trabajo, por fin?, ¿un cambio de carrera? ¿No la

dejaría tranquila ni un día para disfrutar de su éxito? Mejor no pensar. Y si fuera... Se puso pálida, se le aceleró el pulso: ¿y si fuera un...? Ah, no, ella no estaba preparada para tener nietos. Nin no había entrado siquiera en la adolescencia y recordaba cuando cambiaba los pañales de ese muchacho que ahora quería sorprenderla. ¿Cómo la habían excluido de semejante decisión? ¡Un nieto, un clavo más en su ataúd! No, no estaba preparada; no podían hacerle eso a ella. Ahora lo que tenía que hacer era adelgazar, rehacer su vida, buscarse un novio, publicar su novela. En fin. Pronto, muy pronto, se aclararía el enigma. Y tapándose el rostro con las sábanas, agobiada por la vida, se negó a levantarse.

* Tres o cuatro años había pasado la muchacha en la isla de Jamaica cuando comprendió que todo estaba llegando a su fin. Max no solo la humillaba sino que la visitaba poco, vivía públicamente con otras mujeres, andaba metido en negocios raros.

Jamaica estaba enfadada, pero consigo misma, dependía de ese hombre como de una droga dura, hiciera lo que hiciera, pasara lo que pasara, estaba allí esperándolo. No era él quien la sujetaba, sino ella quien no se podía liberar, se acercaba a Max a la vez que se odiaba por aferrarse a un hombre que solo le traía disgustos.

Y una mañana, abatida, comprendió que había perdido toda dignidad. Mientras hacía las maletas y se despedía del árbol de mango que estaba frente a su puerta, mientras decía adiós al calor de la isla, mientras intentaba dejar en orden el bar para que le quedara algún pequeño ingreso, sucedió algo increíble.

Sobrio, limpio y bien vestido, reapareció Max. Había perdido sus modales de bruto y se había metamorfoseado en algo muy parecido a un caballero sajón. Llevaba unos papeles:

—Léelos —le dijo.

—¿Qué es esto?

—Una licencia de matrimonio. Si me aceptas, mañana nos casamos.

Atónita, Jamaica recordó el pañuelo que él le había ofrecido cuando lloraba en el barco y, sin pensarlo casi, respondió:

—¿Ofreces licencias de matrimonio a todas las mujeres desesperadas que hay en la isla?

Al día siguiente ya eran marido y mujer. Una semana más tarde, la pareja viajó a Boston para que Max se hiciera cargo de la empresa que acababa de heredar.

* —Si tú no crees en la magia, Jotabé, los ingenieros de caminos no confían en esas cosas..., siempre dices que en la vida no hay cambios importantes, que todo va como sobre rieles de la partida a la meta, eres un soso, Jotabé, un coñazo, qué quieres que te diga.

—Calla, Omara, estoy dispuesto a creer en lo que tú me digas con tal de conseguirla.

—¿Y no te da vergüenza hacerlo así?

—¿A ti te daría vergüenza, por ejemplo, aceptar un regalo mío si lo logro?

—¡Jotabé! —exclamó Jamaica asombrada. ¿Estás dispuesto a pagar por una mujer?

Jotabé se levantó como un resorte, le besó la mano, y luego bastante confuso, intentó explicarse:

—Estoy desesperado, Jamaica, desesperado...

—La desesperación es mala consejera. Si yo te contara las tonterías que he hecho a lo largo de mi vida por desesperación... Hagamos un trato —continuó—: si yo te ayudo, tú ayudarás también a un amigo mío. No es bueno cambiar dinero por amor, pero amigo por amigo... Recuerda todo lo que te expliqué: tienes que traerme los dos muñecos, uno que te represente a ti, y otro a ella. Me los metes en una bolsita, bien apretados, lo más que puedas, y yo se los esconderé a Marga entre las bragas. Si estás entre las bragas de una mujer, lo tienes todo. No falla. —Luego explicó a Jamaica—: Lo de las bragas me lo he inventado yo, y no me digas que no le pone sal a la cosa.

Rojo como la grana, Jotabé no se atrevió a contestar, sino que se llevó una mano al corazón y otra a la cartera. Finalmente decidieron festejar el trato, pidieron una botella, otra más, brindaron casi hasta caerse y ya no volvieron a hablar.

Para qué. El pacto estaba sellado.

* Con un dolor de cabeza terrible, Jamaica se metió bajo la ducha. Alexis había partido al fin y, para ella, era un alivio. Solo una vez había convivido con un hombre, y había terminado muy mal.

La vida en común genera dependencias, debilidades, todo se estropea con la vida en común. La pasión, sí, la pasión era otra cosa. Comenzó a girar el cuello, aflojando tensiones, aliviando la densidad de los recuerdos en los que nadaba desde hacía semanas como en un puré de guisantes.

Es mejor no enamorarse, pensó, recordando a Max. Habría sido muchísimo más inteligente tener simplemente una aventura con él. Llamamos amor a cualquier sucedáneo.

Demasiado tiempo viviendo sola, tal vez era eso lo que le sucedía. Desde que dejó a Max, nunca había aceptado realmente a otro hombre. Ya no pactaba y se sentía molesta si alguien encallaba a su lado. No siempre había sido así; al principio, cuando abandonó a Max, se había sentido muy mal. Finalmente le tomó el gusto a la independencia y terminó por no necesitar compañía. Era tarde para arrepentirse, para cambiar; además, no le apetecía. Al fin y al cabo, esta era su vida. Cerró el grifo y se envolvió en una toalla. Entre el vapor del agua se dibujaron las imágenes de antaño.

Qué habría sucedido si...

Hay un placer morboso en hacerse esta pregunta. ¿Qué hubiera ocurrido si...? Y entonces parece que podemos sustituir un acontecimiento por otro y desarrollar una brillante vida en paralelo, despojada de momentos grises y de equivocaciones. Si hubiésemos elegido otra pareja, otro camino, otro momento..., desaparecen los errores y se asoma ante nosotros una soberbia existencia que no ha logrado florecer. En cada esquina, en cada decisión, se oculta el ovillo de las opciones desechadas, las mil bifurcaciones que pudo tener nuestra vida.

Qué habría sucedido si me hubiera quedado con Max, insistió Jamaica, mientras intentaba elegir una falda. Si hubiésemos formado un matrimonio, si hubiésemos criado juntos a nuestra Thais. Y dejó volar la imaginación.

Sobre el fondo gris del pasado se levantó un telón y se vio conviviendo con él. Eran un matrimonio mayor que tenía una vida en común en la que ya poco puede ponerse en entredicho. Max era un león al que le habían cortado la melena; ella, una tigresa sin garras. Habían tenido otros hijos, y firmado un armisticio. Jamaica, en lugar de ocultar su embarazo para marcharse sola, habría cedido. Vivirían, por ejemplo, en alguna casa fastuosa de Boston, rodeados de árboles inmensos y su mayor entretenimiento sería ver cómo las ardillas trepan por las ramas o pasear en bicicleta. Podrían vivir también en algún aburridísimo pueblo de Suiza, donde los impuestos son más bajos, en esas regiones de Europa en las que nada falta y el entorno parece un parque temático.

Entre ambos han gastado toda la munición. Ella es profundamente infeliz y habla mal de su marido a quien quiera oírla. Él es muy rico y la ignora. Debe de tener otras mujeres, con las que mantiene una relación superficial; debido al exceso de responsabilidades, en cualquier momento tendrá un infarto. Esa es la única forma en la que ella logrará la independencia económica, porque nada será suyo hasta el momento en que lo herede. Se miran cuando no pueden evitarlo; son como antiguos enemigos que han acordado un alto el fuego con apariencia de alianza. Ya ni siquiera discuten, no tienen fuerza para ello. Si rascan un poco, puede descubrirse que ambos alimentan la llama del rencor: saben decir la palabra que más hiere, esbozar esa sonrisa que levanta ampollas; recordar en público lo más denigrante de su pareja. No son capaces de amarse, ni de abandonarse, ni de llegar a un pacto real: utilizan toda su imaginación para profundizar con un estilete en la carne viva del otro.

Jamaica sacude la cabeza con espanto. A pesar de todas sus equivocaciones, a pesar de Thais, está mejor así.

¿Qué habría sucedido si...? Nada de lo que pasó desde el momento en que abandonó Venezuela estaba en sus cálculos, nada hubiera podido prever entonces, cuando vio por última vez el pañuelo rojo de Domitila sacudiéndose en el muelle.

¿Qué habría sucedido si...? Ninguna de las dos muchachas, ni aun haciendo los cálculos más audaces, hubiera sido capaz entonces de imaginar el porvenir.

* Si bien un hijo es una apuesta por el porvenir, muchas veces es una pésima opción de presente. Esto es lo que piensa Gloria, encerrada en su casa después de mantener durante varias horas un diálogo cuya única palabra es «gu».

Ha partido Julio sin despedirse casi, ha preparado su maleta incómodo, y luego de anunciarle que pasaría más o menos una semana fuera, cerró la puerta sin dejar siquiera el teléfono del hotel. La canguro está de exámenes y la espera ahora un fin de semana largo, sola con su hijo. Entra en la cocina para preparar el desayuno.

El niño está sentado en la sala, sobre una manta, rodeado de juguetes. Intenta gatear. Grita. Gloria aparece por la puerta y el niño ríe a carcajadas.

Coge al bebé, lo pone en su sillita, le sirve una papilla. El niño atrapa el plato y lo empuja hasta casi tirarlo; Gloria lo ataja a tiempo, se sienta frente a él. Abre la boca, no la abre, cuando Gloria ya tiene el brazo cansado de tanto jugar al avioncito, el niño mete las manos en el puré. Mancha la mesa, mancha la ropa, Gloria patina sobre el puré, se mira consternada la falda nueva.

Lo toma en brazos, lo coloca sobre la manta y desaparece otra vez en la cocina. El pequeño se decide a buscarla. Ha perdido el equilibrio y da con la cabeza en el suelo, llora, Gloria lo consuela, lo vuelve a sentar y vuelve a la cocina. Mientras tanto, el niño ha visto una culebra, algo que se pega a la pared. Intenta acercarse, el bicho no se mueve, lo atrapa y tira. ¡Bien!

—¡Mi lámpara!

El niño, asustado, llora, Gloria llora también. Un poco más tarde se sobrepone y decide humillarse, pedir ayuda.

—¿Luismi? ¡Por favor, ven a visitarme! Si paso un día más sola con el niño, terminaré volviéndome loca. ¿Que me vas a contar lo de Begoña? Sí, claro, claro que me interesa. Me interesa muchísimo. No, no te preocupes, estará dormido. Cuéntame lo que quieras, escucharemos ópera. Por favor, ven. ¿Julio? Está de viaje hasta la semana que viene.

Y Gloria, aprovechando que el niño está dormido, entra en la cocina. A Luismi le hará ilusión, le gustará que lo espere con un platillo especial. Corta la cebolla en finísimas capas, las sofríe en el aceite dorado mezclándolas con ajo; luego preparará un arroz y, rebuscando entre las especias, encuentra un bote que trajo de Londres en su último viaje, en otra vida, cuando el niño no había nacido aún y podía tomarse, sin pensarlo casi, un fin de semana libre.

«Sharwood's, India», lee. «Curry Powder, Hot Madras.» Abre el bote, y el color canela avanza con su fulgor de aromas picantes que la retrotrae a la infancia. El toque de chile, la pimienta y el jengibre, ese olor intenso mezclado con la suave dulzura de las gardenias que su madre siempre llevaba en el pelo, ciñéndose las caderas, bailando en la cocina, *Cha-cha-chá, qué rico el cha-cha-chá*, y, pensando en ella, Gloria comienza a preparar la salsa en la soledad de la cocina, una pócima que la alejará de la angustia, de la tristeza, del desconcierto del amor.

* «A la cebolla y al ajo se añade medio kilo de carne en dados o pollo en trozos y se espolvorea con tres cucharadas

soperas de curry. Cocinar a fuego lento dos o tres minutos. Añadir agua y una cucharada de puré de tomate, de chutney de mango, de zumo de lima o de limón.»

Y Domitila sacude las caderas y canta, al ritmo de la radio: *Cha-cha-chá, qué rico el cha-cha-chá*, mientras sigue la receta en el libro y prepara el curry para su marido. No cuesta demasiado complacerlo; está poco en casa. Y, si la comida le da placer, ya no la requerirá en la cama. No, no debieron casarse. Ella es casi una adolescente y él, un cincuentón triste y autoritario. No lo quiere, pero siguió los consejos de su madre. Su familia era pobre, y un español millonario no parecía mal negocio en esos días en los que todo estaba tan revuelto. Además, él viajaba mucho. Por África, por la India, por Ceilán y, al regresar a Cuba, traía telas bellísimas, muebles de maderas olorosas, joyas, salsas picantes, especias.

—Hot Madrás —repetía el marido para sí mismo mientras saboreaba el plato. Y luego, con el gesto agrio de siempre, mirando a su esposa: sabroso, pero no perfecto—. Un poco amargo, tal vez.

Al principio viajaba mucho y ella, por consejo de su madre, se negó desde el primer día a acompañarlo.

—De este modo, usted tiene su libertad, m'hijita, ¿sabe lo que le digo? Y esa es la base para que los matrimonios duren. Verse poco es el secreto.

Eran buenos tiempos los de la Cuba de entonces, cuando Domitila se quedaba sola durante meses. Pero poco a poco la cosa se fue complicando, la política, la vida, todo, y él comenzó a quedarse en casa.

—Tal vez regresemos a España —dijo su marido anoche—. Ya no es fácil hacer negocios aquí. En cualquier momento habrá una revuelta.

Ella hizo una mueca, logró contenerla y sonrió. Para qué discutir, qué más daba, en cualquier caso, no iría con él: antes muerta. Pero cuanto más tardara él en saberlo, mejor.

Cha-cha-chá, qué rico el cha-cha-chá, canta Domitila: es inconsciente y feliz. Sube el volumen de la radio; revuelve la salsa, sacude las caderas y cocina; él llegará tarde.

Lo que queda de la mañana, las largas horas de luz, la siesta ardorosa del Caribe, es solo para ella.

* —Haría cualquier cosa por lograrlo —repitió por enésima vez Jotabé esa noche, borracho como una cuba, solo en su casa, mientras buscaba dentro de su armario y elegía su mejor camisa.

Tropezando con los muebles, avanzó por el pasillo, bamboleándose de pared a pared hasta que logró caer, por fin, en su sillón favorito. Armado con las únicas tijeras que encontró, unas muy pequeñas que usaba para cortarse las uñas, comenzó a recortar la seda de la camisa. Era una camisa nueva, de un bonito color verde pálido, que había comprado en Roma en su último viaje, hecha a medida, suave y fresca. Lejos de arrepentirse por lo que estaba haciendo, pontificó:

—No hay que ser avaro con los propios deseos.

Contento con la idea, haciendo eses, volvió al armario, sacó de la cómoda el mejor de sus pañuelos y descolgó el pantalón de su mejor traje.

Enhebrar la aguja le costó un albur. A pesar de su edad no usaba gafas, y los hermosos ojos claros solo le permitían ver un dedo borroso que intentaba meter algo que debería ser un hilo en una aguja invisible. Lo intentó una y cien veces, hasta que por fin la casualidad hizo que acertara; un buen presagio, se dijo, y se sirvió otro whisky. Mientras recortaba cuidadosamente la figura de una mujer de la camisa y la de un hombre del pañuelo, mientras cosía un saco hecho con la tela azul de su pantalón, iba recordando una a una las virtudes de su futura esposa con la seguridad de que cada puntada era un eslabón de la cadena que lo uniría a ella para siempre.

Aunque fuera comenzaba a amanecer, Jotabé no se dio cuenta. Hacía un frío intenso y el otoño, que teñiría la ciudad al levantarse el sol, era ahora un remolino de viento casi invernal.

Cuando terminó con su labor vio que estaba bien, unidos el hombre y la mujer en el minúsculo génesis y, juntando al varón con la hembra, los encerró como mejor pudo, asfixiándolos casi en el pequeño saco, como le explicara Omara, y se sintió Dios.

Entonces descansó, es decir, se quedó dormido, con el cansancio de un demiurgo borracho, roncando, arrellanado en su mejor sillón, entregado a sus mejores sueños, a la magia del amor.

* Qué habría sucedido si..., se dijo Domitila. Paladeando su martini, estudiando las manos de Jamaica, manos grandes y casi masculinas, las uñas mordidas, la melena negra brillando de juventud. Qué habría sucedido si no hubiese triunfado la revolución, si su marido no hubiera insistido en alejarla para siempre de Cuba, si la niña se hubiera parecido a su padre, si no hubiesen tenido tanto dinero, si...

Y así, horas y horas, largas listas de posibilidades, ramas en las que se abría su vida haciendo girar una y otra vez las agujas del reloj de derecha a izquierda, de izquierda a derecha, remontando el agua de los ríos que ya se había perdido en el mar, retrotrayendo a las nubes la lluvia que ya había caído sobre la tierra. Pero qué pasado podía tener entonces, en esas tardes de Caracas, conversando con Jamaica en el patio de El Paraíso, si apenas había cumplido los veinte años.

La juventud es eterna, no está inmersa en el tiempo, está anestesiada porque nadie podría soportar su existencia si supiera que ese rostro no es el definitivo sino el mejor que jamás se tendrá, que esos arrebatos vitales de los veinte años probablemente se disuelvan en algo anodino y deprimente.

Ellas, Jamaica (aún Inma) y Domitila, creían, antes de separarse, que ya controlaban la vida, que nada las habría de cambiar y que todo lo que sobreviniese sería excitante, loco, magnífico. Qué habría sucedido si..., repetían ambas una y otra vez, en el club, en el patio de los helechos, riendo, desgranando confidencias, con esa amistad intensa y rápida que se hace cuando se es joven.

—... si no me hubiese casado —dijo Domitila—, no estaría sentada aquí, en un club de lujo. No tendría dinero y no te habría conocido.

—Pero tú...

—Sé lo que piensas: que soy una mentirosa terrible.

Por unos instantes guardaron silencio. Inma pasó la vista por el enorme jardín acotado por palmeras. Las adelfas, rosas y blancas, lanzaban al aire su perfume dulzón y venenoso y, entre los gigantescos tamarindos, espumaban las flores pegajosas.

—Tú también eres una mentirosa —prosiguió Domitila, risueña.

La tomó por la barbilla, la observó con fijeza.

—Viéndote aquí, conmigo, nadie diría que acabas de salir de la cárcel.

—Lo mío solo fue una tontería, Domitila, una imprudencia. No debí meterme en esa manifestación, estando como están las cosas. —Y, sonriendo también, bajando la voz, Inma continuó con el juego—: Tampoco diría nadie que, en cualquier momento, tú puedes ingresar en prisión.

—¡Calla! De momento, y aquí, soy solo una viuda rica.

Ambas rieron como si la idea les hiciese muchísima gracia y volvieron a mirar el jardín a través de los cristales de la ventana que exhibían la enseña del club.

Domitila secreteó:

—He tenido mucha suerte al poder escapar. Y sigo aquí por arte de magia.

* —Un amarre es un amarre, Jotabé, y no garantiza matrimonio. Está muy bien esto que me entregas, tan bonita la chica con estas telas verdes carísimas, cómo eres, el muñeco del varón tampoco te quedó mal. Mira qué te digo: aún siendo lo más fácil, el saco está de pena, con esas puntadas de pata de elefante. Óyeme bien. No te garantizo matrimonio, pero sí que te aseguro que la blanca esa se va a quedar sin bragas por ti.

Jotabé enrojeció, no se atrevió a interrumpirla.

—Si cumplo con mi parte del trato, ya sabes que me lo tienes que pagar, y lo que te pido es un pasaje para Ulises, que aquí las cosas le van mal y al fin y al cabo tiene un hermano en Estados Unidos y allí los negros viven como Dios, todo el día *brother* por aquí, *brother* por allá. También te digo una cosa: si pasan tres meses sin que la blanca patosa se meta en tu cama, basta con que nos emborrachemos juntos por las penas del amor; yo pago. Antes de empezar con la magia tienes que hacer una cosa, para que se te quiten todas las malas historias que tengas pegadas al cuerpo: tú te vas a dar unos buenos baños de flores blancas con cascarilla.

—¿Cascarilla?, ¿qué es?

—No te preocupes, que te la doy yo, y no te cobro más por eso. Pues es un polvo blanco que me traje de Cuba y que se hace con cáscara de huevo puesta a secar al sol. Y mira que el sol de Cuba es como fuego. Después se tritura bien, hasta que queda hecha un talco, y entonces se mezcla con agua, se une, y se hace una bolita. La que yo tengo es preciosa, porque algunos cubanos, para sacarle un poco de dinero, la adornan, le dan forma, y la venden después. Tiene forma de corazón, y va que muy bien para lo tuyo.

—¿Algo más? —preguntó Jotabé, impaciente—. ¿Algo más?

—No te me pongas ansioso, mi amor, que no he terminado. Tú vas, preparas el agua con las flores y la cascarilla y le añades un poco de perfume barato, o mejor caro, que seguro que ese es el que gastas. Te das la ducha, y luego te echas toda esa agua encima. Los baños tienen que ser tres, uno cada dos días, o sea, seis días en total del primero al último. Cuando hayas hecho lo que te digo, me avisas. Antes de que te des el cuarto, la tendrás desnuda en tu cama. Y si no sirve, da lo mismo. Para ligar, hay que estar limpito.

* Le mintió; otra vez Julio ha tenido que mentir, le ha dicho a Gloria que es un viaje de trabajo, pero no es verdad. Ya está cansado de esta historia, es el momento de ponerle fin, la única forma de hacerla es enfrentar la verdad, para eso tiene que conocer la historia completa, de cabo a rabo, no solo la versión de Jamaica.

Luego, piensa Julio, lo mejor será develarle a Gloria todo, sacarla del enredo, pero antes él quiere escucharla sin intermediarios.

No es fácil conseguir vuelo para Dakar desde Madrid, pero hay suerte. Nunca ha pisado el África negra, y a la vez que está preocupado, siente el cosquilleo de la aventura. La ropa que lleva no le servirá mucho. Habría sido difícil justificar vaqueros y camisetas para una reunión de trabajo, menos aún un bañador.

Se sienta en la cafetería a esperar y abre el periódico. Ha tomado la costumbre de leerlo de forma compulsiva, como si el hecho de asomarse a la vida de otros le ayudase a solucionar la suya. Su vida es un desastre, un auténtico desastre, y ya no sabe qué hacer. Nunca se había preocupado realmente por nada; ella era así, estaba a su lado, y de pronto... De pronto siente que se ha metido en un túnel oscuro que lo acerca demasiado a sí mismo.

Molesto, inquieto, intenta abstraerse, estudia a los pasajeros y a sus acompañantes que, sentados en el bar del aeropuerto, intentan avivar unas conversaciones que agonizan. Todos saben que pronto tendrán que separarse, que lo que hoy dicen, niegan o afirman, carece de valor. Están nerviosos, y las palabras y las risas se entrechocan como vasos. Algunos de los que ahora están juntos no volverán a verse nunca, otros están ansiosos por alejarse porque comienzan sus vacaciones. Hay quienes retornan a la vida de todos los días, dejando atrás la ilusión; algunos saltan al vacío: nada ni nadie los espera una vez que atraviesen la frontera.

En medio del fragor de las conversaciones, una pareja de muchachos muy jóvenes simplemente se mira, tomados de la mano; parece rodearlos un aura de tristeza, una burbuja de sólido cristal los separa del mundo. No dicen nada, solo se observan, como si quisiesen atrapar en sus pupilas la imagen que pronto habrá de disolverse. ¿Qué les sucederá? ¿Será ella la que parta o será él?

Incómodo, Julio aparta la mirada, en cada grupo cree ver un drama, una aventura, un final. Él mismo, sentado allí, solitario, embarcará dentro de unos minutos. Y cuando regrese dentro una semana, cuando haya reunido toda la información, ¿será más feliz que esa pareja que se mira y que, sin duda, tiene que separarse? Gloria no tiene por qué molestarse, piensa algo aliviado. Al fin y al cabo, lo hace por ella, es su regalo, la quiere, sí, siempre la ha querido, y ahora le toca enfrentar por ella lo que ha de venir, no importa bucear en aguas cenagosas, hundir la mano en el limo hasta sacar de allí el brillante de la verdad, Gloria no puede seguir engañándose, no puede permitirlo; al fin y al cabo, no se pasa media vida junto a una persona sin aceptar ciertos compromisos.

Será mi regalo, mi regalo, se repite para tranquilizarse, le regalaré la verdad, y Gloria estará agradecida, no puede seguir así, tanteando como una ciega, confundida y triste, ovillada sobre sí misma en la oscuridad, voy a ayudarla, nada ni nadie podrá impedirlo, basta de mentiras.

Julio enciende su mechero y se queda mirando fijamente la llama. Cuando oye por la megafonía que anuncian su vuelo, lo guarda en su bolsillo, termina de un trago su café, se pone de pie y, sin saber qué lo espera del otro lado, atraviesa nervioso la aduana.

*

Dos gardenias para ti
con ellas quiero decir
te quiero, te adoro, mi vida...

—Baja la música, guapa, que no podemos ni hablar. Sigue, sigue, que está divertidísimo...

—Vamos, Luismi, no te burles.

—No me burlo, bonita, no me burlo. Me invitas a comer un curry estupendo y luego me sales con que no solo no sabes dónde está tu marido, sino que además estás enamorada de un negro. Gloria, encanto, eres una caja de sorpresas. Baja el volumen de una buena vez, que no oigo ni lo que estoy diciendo. ¿Cómo, lloras? Vamos, no seas tonta. Ya quisiera yo tener dos hombres detrás de mí. Ni uno, maja, ni uno; seis meses de sequía. Ya sabes, si piensas dejar a Julio, me lo pasas; ¡es tan masculino! Ah, ya estás sonriendo. Si lo de Begoña es muchísimo peor...

Luismi se sienta en la punta del sillón, coloca las manos sobre las rodillas, adelanta la barbilla como un pájaro con el buche lleno, se apresta a la confidencia, va a hablar, pero, cuando toma aire, Gloria se levanta y exclama:

—Es atávico. No puedo impedirlo.

Luismi, desinflándose:

—La humanidad nunca ha podido impedir esas cosas, Gloria, querida. Por eso el mundo está superpoblado.

—Ahora mismo, si no fuese porque no tengo con quién dejar al niño, ahora mismo me iría a buscarlo.

—Ah, no, bonita; no, guapa, no. A mí no me pillas. He venido porque te sentías sola y porque me prometiste una tarde de chismorreo. Yo no me quedo con ese pequeño ser ululante.

—No te lo estoy pidiendo. Aunque ahora que lo sugieres, ¿qué querrías a cambio? ¿La receta del curry? ¿Mi colección de la Callas? ¿Que te presente a ese compañero mío del trabajo que te gusta tanto? ¿Las tres cosas?

Y, mientras Gloria se viste corriendo, mientras se peina,

canturrea frente al espejo, inconsciente y feliz: *Cha-cha-chá, qué rico el cha-cha-chá.*

* *Cha-cha-chá, qué rico el cha-cha-chá*, canta Domitila a la hora de la siesta. Recoge los platos, tira los restos del curry, lava cuidadosamente los tenedores como si fuesen el instrumental con el que debe realizar una operación que requiere asepsia, sale al patio para ver si hay moros en la costa. Nadie a la vista, nadie en la calle, nadie despierto en esta siesta calurosa de La Habana.

Desde lejos se acerca una voz que canta de forma despreocupada *Cha-cha-chá, qué rico el cha-cha-chá.* Luego, irrumpe la dulce canción:

Dos gardenias para ti
y con ellas quiero decir
te quiero, te adoro, mi vida.

La voz es baja, profunda, más tierna a medida que se acerca a la casa, y detrás de la voz dobla la esquina un mulato muy alto, lleva un sombrero panamá en la mano, viste un traje de hilo. Bajo el ala del sombrero asoman sus extraños ojos del color del ámbar. Domitila, vestida de blanco, juega y se esconde. Él entra en la cocina, la busca, va a salir otra vez cuando ella le tapa los ojos, lo besa en la nuca, lo arrastra hasta la despensa y se encierra allí con él. Entre aromas de especias, enervados por la ardorosa siesta del Caribe, él mete su mano grande y nudosa en el escote de la muchacha, nimbado como un santo por el oro del aceite que reposa en las estanterías comienza a desprenderle el vestido. Domitila cierra los ojos porque así logra atrapar un resto de pudor, huele como un animal joven los deleites de la despensa y la piel del mulato, le sujeta la mano, se la muerde, la lame, la paladea, musita que se detenga, golosa, hambrienta, detente, no, hoy no, no, mi marido puede regresar, cada vez viaja menos, me ha dicho que nos iremos a España y, entonces, qué van a hacer, qué vamos a hacer, mi cielo, todo menos separarnos, mi amor, dice Domitila, todo, cualquier cosa, y el mulato le tapa la boca, la tiende sobre los baldosines fríos de la despensa, le abre el vestido, la contempla, ella no lleva ropa interior, está desnuda bajo la liviana tela blanca. Se queda un rato mirándola, quieto, y por fin dice:

—Sí, mi vida, cualquier cosa menos separarnos. Confía en mí, seguiremos juntos, pase lo que pase, juntos los dos hasta el fin del mundo, hasta la muerte.

* Y la muerte en vida que habían sido todos esos años, recuerda Jamaica, la vida con Max una vez que abandonaron la isla y partieron hacia Boston, donde él se hizo cargo de los negocios familiares, los días sola en casa, cuando ya no tenía más papel que el de señora de, esposa de, mujer de, y esos arrebatos de nostalgia que la fustigaban si se ponía a escuchar música latina en Beacon Hill, la casa roja de tejas negras a dos calles del río Charles, rodeada de árboles altísimos que custodiaban las calles, entre farolas de gas que aún iluminaban las noches de una de las burguesías más ricas del mundo.

Un yate en el río, una familia conservadora que la detesta, y nada que hacer. Max trabaja en los negocios de su padre, toda la familia depende de él y lo admira. A la que no admiran en absoluto es a su esposa: Jamaica no es del gusto de estos descendientes del *Mayflower*, ni su aspecto, ni sus formas ni, *for God's sake!*, su vocabulario. Ella no hace nada por agradarles y ellos lamentan en silencio que Max se haya casado con una advenediza.

En cuanto a ellos dos, se ven poco, menos aún que cuando vivían en Kingston; han desaparecido las mentiras, la violencia, la pasión. Max ha hecho unos proyectos en los que ella no cuenta para nada, se ha entregado a un sueño en el que ella no ocupa ningún lugar. Parece otra persona, todo está en orden y es tremendamente aburrido.

Algunas veces, en sus largos paseos por la costa del río, Jamaica sueña con regresar a España, donde poco a poco parece que escampa.

Al fin y al cabo, nada de lo que ahora la rodea le interesa, ni siquiera Max. Fue fácil mentirle, inventar un fin de semana fuera que se dilataría hasta el día de hoy. En realidad, al partir no sabía que estaba embarazada, pero no le disgustó la idea. Lo supo al llegar a Barcelona, y nunca pensó en pedir ayuda sino más bien en ocultarse. Así se rebautizó con el nombre de Jamaica Bronx, y borró sus rastros. Otro giro de tuerca, otra vuelta, otra vida: no estaba mal.

—Eres hija de un amor que duró poco aunque fue hermoso. He perdido su rastro, Thais, de verdad.

Y en eso no mentía.

¿Duró poco aunque fue hermoso? Más bien todo lo contrario. Jamaica había logrado librarse de Max cuando estaba al borde de su propia destrucción, cuando había comprendido por fin que nada la unía a ese hombre más que un desprecio infinito. Lo curioso era con qué pujanza aparecían en Thais los genes paternos. No. No se parecía a ella en absoluto.

* «Hasta el fin del mundo», repitió el mulato cuando Domitila lo llamó por teléfono desde España y le dijo que por fin había enviudado, y ella desapareció camino a Caracas, donde por fin se reunieron los dos. Juntos recorrieron Brasil, Buenos Aires, Chile, sin encontrar la calma, cruzaron a África, donde el amor de la pareja no resultaba sospechoso, donde no daba que hablar, una viuda rica y blanca con un mulato sin un catre en el que caerse muerto, hasta el fin del mundo dijeron por última vez cuando se aposentaron en Senegal, y aunque se mantuvieran quietos, aunque ya nadie pensara mal de ellos y pudieran formar por fin un hogar, él le repitió «Hasta el fin del mundo» durante cuarenta años, todas las noches, envueltos en ese amor tan desesperado que no caía en la cuenta del paso del tiempo, de los hijos que les iban llegando, que se mantenía joven porque abrevaba en las aguas de la aventura y el peligro en el que había nacido.

* Una sopa de maíz aroma la cocina con su regusto dulzón, la lavadora sacude su vientre preñado de ropa sucia, en el lavaplatos, los platos se friegan solos; qué lujo. Nin está en el colegio, Marga escribiendo en su estudio y, mientras plancha, Omara va hacia la nevera, toma una cerveza, abre la botella con los dientes. Aprendió a hacerlo en Cuba: a los turistas les gustaba y le daban monedas.

Súbitamente recuerda que tiene algo más pendiente, hoy es el día indicado: una preciosa mañana de otoño como las que solo se ven en Madrid.

Recoge la ropa recién planchada, la coloca en una cesta, acerca su rostro a las telas aún tibias que huelen a suavizante. Canturreando, sube la escalera y entra en la habitación de Marga, mientras ordena los camisones en la cómoda esconde al fondo del cajón de las bragas los dos muñecos que le ha dado Jotabé. Al meter la mano, choca con un paquete de tabaco viejo, coge un pitillo, lo enciende, cierra los ojos y cruza los dedos.

Daño no le puede hacer, se dice, y es mejor para todos. Si Marga pica, Jotabé será feliz, también lo será Marga, que, sin un hombre, está cada día más neurótica, y Ulises y ella misma, y Nin.

Luego regresa a la cocina y, arrullada por los electrodomésticos, piensa que esto de limpiar casas no le gusta demasiado. En Cuba era maestra, y aquí le habría gustado ser actriz. Hasta se ofreció en una agencia. Le dijeron que sí, que muy bien, pero no la llamaron nunca. Es que papeles para negros hay pocos en España, solo para hacer de Kunta Kinte, y eso con suerte. «Fíjate tú», le dijo la empleada, «cómo estarán las cosas, si hasta para hacer de Melchor en la cabalgata de Reyes contratan a un blanco.» Todo para nada, tantas fotos y allí estaba, limpiando casas.

Mientras reparte la ropa en el resto de las habitaciones canta cada vez más alto. Tiene una hermosa voz, y también conoce muchos poemas. En fin, eso aquí a nadie le importa, aunque en su tierra llegó a recitar frente al mismo Fidel.

Esta misma noche avisará a Jotabé de que tiene que tomar los baños de flores. En cuanto a Marga, con lo desordenada que es y la cantidad de bragas que tiene, no cree que jamás encuentre los muñecos.

* —Te lo digo de una buena vez, y no me seas tan pesado: ya estás entre sus bragas.

—Esta misma noche me daré los baños.

—A partir de ahora, son seis días, y deja de preguntar, que ya me pones nerviosa.

Jamaica, que bailaba sola en la pista practicando un paso, se acerca a la mesa secándose la frente. Se desmorona en una silla, se levanta el pelo para abanicarse el cuello, bebe una copa, y por fin pregunta:

—¿Qué estáis tramando?

—Nada que haga mal a nadie —responde Omara.

—Contéstame tú, Jotabé, que eres menos mentiroso.

Y él la mira con sus ojos azules de niño feliz, pone su mano en la de ella, la estudia atentamente, luego la besa con un gesto de caballero, y la tutea por primera vez.

—Verás lo que estoy tramando, pronto lo podrás ver. De momento, es un secreto. Lo tendrás ante tus ojos. Jamaica, no puedo creerlo: ¡ante tus ojos! —Luego paladeó su whisky y susurró—: Me siento en la gloria...

Al oír la palabra «gloria», sin poder evitarlo, Jamaica pegó un respingo.

* Un trozo de pera sobre el mármol de la cocina, una lenta procesión de hormigas que cargan sobre sus espaldas hasta que la fruta desaparece casi por completo; Nin las sigue con el dedo, las ve bajar de la mesa, caminar en fila india por una de las patas, se agacha para ver dónde se esconden, de rodillas sigue el sendero negro, las ve desaparecer y reaparecer del otro lado de la puerta que da al jardín, las minúsculas hormigas han desmontado un Escorial blancuzco y jugoso, llevan una carga más voluminosa que sus propios cuerpos, no se desmoralizan ante los escollos que interpone Nin (pajitas, una piedra, una gota de agua), con el rostro pegado al suelo, la niña las estudia, ve una hormiga que retrocede, que

se gira hacia atrás, hay algo grande, muy grande, una suela, un zapato, la pernera de un vaquero, una pierna azul, dos piernas.

Subiendo en línea recta Nin encuentra una barbilla que reconoce, los agujeros de una nariz, una mata de pelo rubio, la cabeza completa de su hermano. ¿Estará viendo un fantasma?

—¡Vanessa, soy yo, Fredy!

—Ya no me llamo más Vanessa, ahora me llamo Nin. Y tú, ¿no te llamabas Federico?

—Son estos meses en Londres. ¡Estás muy mayor!

Nin adelantó orgullosa el pecho donde, desde hacía muy poco tiempo, brotaban dos fresas pálidas. Su hermano no se dio cuenta, daba igual; siempre había sido bastante tonto.

—¿Y mamá?

—Te esperábamos mañana. Se ha ido a bailar. A Los Bongoseros de Bratislava.

—Vaya nombrecito..., ¿y dónde queda eso?

—¿Bratislava?

—No, el local.

Sí, rematadamente tonto:

—Búscalo en la guía.

Cuando su hermano desaparece, la niña abandona el sendero de las hormigas y, de pie frente a su puzle, coloca la última pieza. Lo observa, ve la escena atravesada por arabescos, por nervaduras finísimas, el dibujo completo al fin pero, en lugar de sentirse feliz, se vuelve a sentar descorazonada.

Las cosas terminadas no son divertidas, piensa Nin. Con una suavidad infinita comienza a separar las piezas, a mezclarlas, a alejar los fragmentos entre sí, las figuras completas, cada vez más deprisa, con vehemencia casi las lanza al aire, deja caer dentro de la caja el caos de cartón, el dibujo incompleto, y nuevamente comienza a buscar: personas, árboles, nubes, ladrillos, casas.

* Visto desde arriba, Madrid luce en esta época un esplendoroso dorado otoñal que se entrevera con los tejados rojizos; más abajo, iluminadas apenas, las callejas del centro se pierden en un estrecho laberinto que se abre a la luz amarilla de las farolas. Algunos árboles, ya sin hojas, rascan el cielo con sus dedos agudos. Es de noche, y el asfalto de las grandes avenidas se ha pintado con un tinte violáceo. El aire frío se queda atrapado en las plazas que dibujan manchones oscuros. Sopla un viento casi de nieve.

Por el paseo de Recoletos hacia la plaza de Castilla los edificios crecen hasta llegar a una ciudad moderna, pero, a la vez, los túneles la horadan y profundizan. Así la ambigüedad y la tensión resquebrajan esa placidez de granito y cemento en la que se instala Madrid. Son las tres de la mañana de un viernes. En los bajos de Azca ya no se oyen los coches, sino el retumbar del bongó.

Uno, dos, tres, hombro, uno, dos, tres, cadera, cadera, suave, muchacha, que bailas bien, arrímate al negro, mueve los hombros, canela, azúcar, clavo y café. Así, así, sí, señor, a gozar.

Jamaica, sola, está dando clase. Colocados en filas paralelas los neófitos intentan copiar el paso que ella desarrolla dándoles la espalda, vestida con pantalones amarillos, peinada con su peluca bermellón, las sandalias de metacrilato azul, el cinturón blanco apretadísimo, marcando con la mano el compás:

Uno, dos, tres, hombro, uno, dos, tres, cadera...

—¿Y Ulises?, ¿ya no baila? —pregunta una muchacha sudorosa.

—Calla, que pierdo el ritmo; creo que ya no trabaja aquí.

—Pues está sentado en esa mesa besándose con una rubia...

Jamaica ha dejado de bailar y forma parejas. Todos practican. Marga, que va a ir a sentarse, ve que un hombre se acerca hacia ella. Su cara le resulta familiar, pero no sabe de dónde. En la oscuridad de la sala, solo brillan sus hermosos ojos azules, las largas pestañas rizadas dan a sus ojos una expresión franca e inocente. Le gusta. Claro que le gusta. Un poco bajito, tal vez. ¿Cómo va a hacer para no meter la pata?

—¿Baila? —está diciendo él, extendiendo la mano derecha mientras la izquierda se mantiene en su espalda. Luego, implorante—: ¿Bailaría conmigo?

Viviana, que se ha sentado junto a Marga, le da un empujón.

—Si no aceptas, no vuelvo a hablarte en la vida.

—Claro, claro que bailo.

Mientras Jotabé y Marga salen vacilando a la pista, Gloria se separa un minuto del abrazo de Ulises para tomar aire. Se levanta de la mesa, le dice que la espere y se dirige hacia la barra para pedir una copa.

—¿Te traigo algo?

Ulises afirma con la cabeza, da lo mismo qué, esa noche sería capaz de beberse todo lo que le pusieran delante. Ha pasado la tarde con Gloria, nuevamente en su casa, y ahora el frágil cuello blanco de la mujer ostenta dos manchas rosáceas que ella no intenta disimular. Todo aquello es demasiado, demasiada pasión, demasiado peligro, demasiados secretos, y él ya no sabía qué hacer. No le queda dinero, no tiene trabajo, y es una tontería ilusionarse con una mujer como Gloria. Las esposas no son un buen negocio. Además, ¿dejaría al niño por él?, ¿cómo podría, un emigrante, un africano...? Mucho gusto por lo exótico, mucho te quiero y, al final, ya se sabe. Y el único que realmente saldrá perdiendo será él. Omara le había prometido ayudarlo y no debía perder la ocasión, tiene que continuar el viaje, buscar otros horizontes, seguir vagando por el mundo hasta que se canse, hasta que encuentre un lugar en el que quiera envejecer, con una casa, como cualquier ser humano, y un trabajo, y una familia, ahora lo mejor que puede hacer, aunque duele, es arrancar de un tirón ese clavo que se le ha hundido en el alma, y seguir su destino.

Esa misma tarde, tendidos en la cama matrimonial, él se lo había dicho a Gloria, pero ella había musitado: «No, no hables, qué importa», no lo había querido oír, «No puedo quedarme, Gloria», y ella le había colocado un dedo sobre los labios para que callase; luego ambos habían permanecido tendidos en silencio, como dos náufragos solitarios a la deriva de sus propios destinos, comprendiendo lentamente que la marea los separaría sin piedad, y así, silenciosos, habían comenzado a llorar. Abrazados y desnudos oyeron el timbre de un teléfono lejano, los frenos de un coche, el rebotar del ascensor, la cisterna del piso de arriba y, muy pronto, el golpeteo más próximo de las caderas pálidas, bonitas y ávidas de Gloria contra la carne tersa, firme y brillante de Ulises. Así habían conjurado la tristeza con una celebración opulenta de la carne, posponiendo la despedida, aunque ambos sabían que, a partir de esa noche, ya no se volverían a ver. Luego se habían vestido en silencio para dirigirse juntos, por última vez, a Los Bongoseros de Bratislava.

Mientras Gloria camina sorteando a los bailarines para buscar las copas, da un paso hacia atrás y se detiene. Cierra los ojos, los vuelve a abrir, pero la figura de Julio no se borra. Había asomado a la puerta unos instantes para volver a desaparecer, y no está del todo segura de que sea él. Seguro que se confunde, pero ¿y si no fuera así? ¿Qué podía hacer Julio, quien en teoría estaba de viaje, en ese tugurio? Detestaba la música alta, el ruido y el humo; detestaba bailar, y nunca la había acompañado a sus clases. De todas formas, Gloria se alegró de no estar aún entre los brazos de Ulises y, en lugar de regresar a la mesa, salió corriendo de la sala en busca de esa imagen que tanto se parecía a su esposo.

Pero la calle estaba desierta. Fuera, un viento otoñal levantaba las hojas caídas de los árboles, hacía galopar nubes espumosas que dejaban ver, a través de los claros, las pálidas estrellas de la ciudad.

¿Y si Julio conocía el local? ¿Era una casualidad que hubiese aparecido allí esta noche, sin pasar por casa, luego de días de ausencia? ¿Le mentía? Y comprendió, de un solo golpe, todo lo que Julio debió sufrir con sus engaños. No, no era demasiado agradable esa comezón, pero tampoco resultaba justo enfadarse. Pero ¿quién estaba hablando de justicia?

Una nueva ráfaga de viento le revolvió la cabellera, hizo que cayeran las gardenias. Gloria las recogió del suelo y se las colocó, intentó alisarse el pelo rubio y sintió frío, frotándose los brazos volvió a entrar en el local, dejó el silencio de la calle para entregarse a la música, al calor, al aroma del tabaco y en ese magma denso comenzó a nadar como una sirena.

Si era Julio realmente, también estaba claro que la había visto. Al fin y al cabo, tal vez era mejor. Y si las cartas estaban ya sobre la mesa, ¿qué sentido tenía disimular? Volvió a acercarse a Ulises, quien, sin comprender lo que había sucedido, tamborileaba con sus largos dedos sobre la mesa siguiendo el compás.

En la mesa de al lado, dos espléndidos mulatos, sin duda gemelos, con los ojos color de ámbar, la miraron con entusiasmo. Vestían de forma idéntica: pantalones blancos, camisas con florones, deportivas caras. Al verla, ambos desplegaron una sonrisa llena de dientes, como si la conocieran. Luego murmuraron algo en un idioma incomprensible. Molesta, Gloria susurró:

—¿Los conoces, Ulises?

—Claro que sí. Mandingas. Y hermanos.

Y, sin decir más, la tomó por la cintura y la sacó a bailar.

En la pista, Gloria chocó con una pareja que se abrazaba sin tener en cuenta la música, como si bailasen un vals en medio de una frenética danza de la fertilidad: eran Marga y Jotabé. Jotabé mantenía una distancia que superaba a la reglamentaria. Marga, por su parte, intentaba vanamente coordinar su disritmia con la de su pareja.

Uno, dos, tres, hombro, uno, dos, tres, cadera, se repetía nerviosísima, atenta a sus pies, intentando que los hombros no se sacudieran como si tuviese el mal de San Vito. Jotabé, en lugar de intentar seguirla, marcaba «uno para la derecha, otro para la izquierda».

Desde su mesa, Omara seguía sus movimientos. Los vio bambolearse al son de la música con un resultado penoso. En el primer compás, Jotabé pisó a Marga, en el segundo, Marga a Jotabé. Ella giró hacia un lado equivocado y en lugar de encontrarse en un grácil arabesco se embistieron. Luego volvieron a chocar, ahora contra Gloria y Ulises. Por fin, sudoroso, con gesto galante y el aliento entrecortado, Jotabé sugirió:

—¿Y si nos sentamos?

—Me encantaría, me encantaría.

Entonces Jotabé vio algo que brillaba en el suelo y se agachó a recogerlo. Era un bonito camafeo de piedra azul y, alejándolo mucho de sus ojos, pudo ver que representaba a un niño cabalgando sobre algo que parecía un delfín.

—¿Lo quieres? —le preguntó a Marga.

Ella, ruborizada, sin mirarlo casi, se lo abrochó en la solapa.

—Están hechos el uno para el otro —susurró Omara encantada. Y luego, acercándose a Marga estudió el camafeo con una mirada golosa y por fin vaticinó—: Anda, quédate con eso, seguro que te trae suerte.

Jotabé sintió que tenía que sentarse o se iba a desmayar. Para darse fuerzas, recordó el precioso embrujo que yacía entre las bragas de Marga y vio cómo Omara, que ahora bailaba a su alrededor, le hacía señas para que continuase hablando. Asintió él con la cabeza y obedeció, la frase la tenía preparada desde hacía varios días:

—Llevo meses intentando que me haga caso, que me deje estar con usted, Marga, bailar con usted. Espero que no lo considere un atrevimiento. —Y luego de un silencio—: ¿Puedo tutearla?

—¿Un atrevimiento?... Yo... —Luego pensó: ¿me he vuelto idiota?, ¿qué me está sucediendo?

Marga iba a responder cuando dos manos tibias le taparon los ojos. Las tocó sin reconocerlas, tanteó las muñecas fuertes, los antebrazos, la camisa remangada, y se le terminaron los brazos cuando las manos se despegaron de sus ojos mientras un hombretón la abrazaba:

—¡Federico!

—¡Mamá!

Y luego, otra vez, con cierta prevención:

—¿Federico?

Los hijos no tienen el don de la oportunidad, nunca lo han tenido. Y Marga, nerviosa, se preguntó si no habría elegido Federico justamente este momento para comunicarle que iba a ser abuela. ¿Podría hacer una cosa así, ahora que por fin parecía que estaba ligando? Si lo hacía, no se lo perdonaría jamás. El muchacho, aún tomado de su mano, se sentó a su lado sin ver siquiera a Jotabé. Él, por su parte, sintiendo que estaba de más, inició un mutis.

—Federico...

—¿Sí, mamá?

—Tú tenías que..., tú dijiste que...

—Podemos dejarlo para mañana.

No. No y no. Quería saber si podía enamorarse tranquila o si debía marcharse ya al geriátrico. El muchacho estaba muy bien. Guapo, atlético. Mayor.

—Dímelo ahora, y mañana me cuentas los detalles. Estoy sobre ascuas.

Federico bebió del vaso de su madre, luego pidió un cuba libre y también se lo bebió, e iba por el tercero cuando Marga, muy nerviosa, le suplicó que hablara. La música, atronadora, hacía que se oyesen apenas a pesar de que estaban dando voces. Jamaica había comenzado a bailar nuevamente al frente de un grupo que luchaba con un nuevo paso.

Federico miró las paredes, la estatua de la Libertad, el pantalón amarillo de Jamaica, los reflectores, la peluca bermellón, luego pareció estudiarse interesadísimo las manos.

—Vamos, hijo, habla de una vez.

—Estoy enamorado...

—Ah —suspiró Marga, sin poder contenerse. Iba a agregar ¿otra vez? cuando logró detenerse. No, la cosa no terminaría allí. Su hijo se había enamorado cientos de veces, desde párvulos en adelante, y nunca había necesitado de semejante puesta en escena para contárselo. Preocupada, decidió esperar, mirar hacia la pista de baile hasta que su hijo se armase del valor necesario para soltarle lo que estaba pasando.

Ya no veía a Jotabé. Los que bailaban frente a sus narices eran Ulises y Gloria. Marga se asombró del desparpajo y de los toqueteos. No sabía que estuviesen enrollados, pero ahora tendría que haber sido ciega para no darse cuenta. ¡Pensar que había estado meses preguntándose qué escribir, cuando todo aquello sucedía ante sus narices!: amantes, parejas que se rompían, mestizaje, viajes, engaños, niños que nacían con un origen dudoso, y quién sabe cuántas intrigas más. Y cayó por fin en la cuenta: ¡por eso Jamaica había anunciado a bombo y platillo que el niño era blanco! Marga, eres una pánfila, se dijo: has tardado meses en comprenderlo. Y ahora, qué más daba. Qué barbaridad. Contrariada, encendió un pitillo.

Pero Gloria no vio a Marga, sino que parecía más preocupada por mirar hacia la puerta que por entregarse a los abrazos de su amante. Lejos de seguir a su pareja, estaba tensa y erraba todos los pasos, como si el sexo, conectado a su cerebro, hiciera cortocircuito; la música rebotaba contra su cuerpo sin conseguir arrastrarla.

Le rogó a Ulises que la acompañara a la mesa y, cuando estaba a punto de sentarse, apareció ante su vista el segundo fantasma de la noche:

—Oh, Dios mío —casi gritó.

A la puerta de entrada se había asomado una mujer que se le parecía de una forma extraordinaria. Iba del brazo de un mulato de pelo gris, alto como una montaña.

La desconocida vestía un traje de tela brillante que imitaba la piel de un tigre, llevaba zapatos plateados de altísimo tacón, pulseras innumerables, grandes pendientes con pedrería y, en la cabellera, que le caía hasta los hombros teñida de un color rubio platino, dos gardenias asomaban sus pétalos. Estaba muy maquillada, y con paso firme, empavesada, ostentosa, con un cascabeleo resuelto, entró en el local.

Tocándose las gardenias que también ella llevaba en el pelo, atónita, Gloria susurró al oído de Ulises:

—¡Mira, mira a esa mujer!

—¿Qué le pasa?

—Somos idénticas: más carne, más edad, pero la misma cara... Parece increíble, mírala, Ulises. Es como si la máquina del tiempo...

A su lado, los gemelos estallaron en carcajadas, señalando alternativamente a Gloria y a la mujer.

Bajo un haz de luz, de espaldas a la estatua de la Libertad, sin girar la cabeza hacia donde estaba Gloria, la mujer se detuvo, pareció buscar a alguien y, de pronto, se perdió entre las parejas que bailaban. Un pesado perfume de flores atravesó el local, flotó por encima de los efluvios del baile, del aliento del alcohol, del humo levísimo del tabaco y llegó hasta la sorprendida nariz de Gloria: olía a gardenias.

El mulato que la acompañaba, en lugar de seguirla, se abrió camino como King Kong hasta llegar a la mesa de los gemelos. Ambos se levantaron al verlo, sonrieron, le palmearon con entusiasmo la espalda como si estuviesen desempolvando su chaqueta de color perla y, finalmente, se sentaron en silencio y los tres pares de ojos, como periscopios, se dedicaron a estudiar a Gloria. Cada tanto acercaban las cabezas en un conciliábulo oscuro, luego sonreían y volvían a señalarla con el más absoluto de los desparpajos. Pareció que el negro viejo se iba a levantar para decirle algo, pero los hermanos lo cogieron de la chaqueta y lo obligaron a sentarse.

—Senegaleses locos —musitó Ulises—. Vamos a tomar el aire. —Y, asiéndola de la mano, la sacó del local.

Fuera, en la calle, Gloria respiró por fin. La acera seguía desierta, súbitamente pensó que, si era verdad lo que había creído ver, podían toparse en cualquier momento con Julio. Ulises y su marido no se conocían y no era aquel el mejor momento para las presentaciones. De golpe comprendió que no tenía claro a quién estaba protegiendo. ¿A Julio? ¿A Ulises? En todo caso, lo mejor era que no se encontraran.

—Volvamos dentro, ya estoy bien. Está muy ventosa la noche, ¿verdad?

Y se sumergió nuevamente en la sala oscura justo a tiempo para ver cómo la mujer que se parecía a ella había alcanzado la barra y se abrazaba a Jamaica.

—Bueno, mamá —dijo por fin Federico, preocupado porque su madre no parecía estar ya con él, sino pensando en cualquier otra cosa—. ¡Hazme caso!

—Perdona, hijo, me estabas diciendo...

—Que estoy enamorado.

—Pues me alegro, me alegro mucho. Enamorarse siempre es bueno —insistió, sin saber qué más decir. Ahora, pensó Marga, ahora, en cualquier momento, va y me larga lo del nieto. Encendió otro pitillo.

Jotabé, desde una esquina, vio cómo Marga inclinaba la cabeza hasta colocar su oído a la altura de la boca de su hijo. Luego secretearon y ella pareció palidecer, apagó violentamente el cigarrillo que casi no había probado y, finalmente, tomó la mano de su hijo entre las suyas y se quedó un rato observándolo como si no consiguiera ajustar las palabras que había escuchado con el rostro del muchacho, con la idea que tenía de él.

A un gesto de Federico, un joven alto, de piel morena y aspecto de jugador de baloncesto se acercó a ellos, saludó a Marga con timidez y, por fin, se sentó a la mesa. Conversaron un rato y, cuando ella se levantó para dirigirse hacia Jotabé, discretamente los muchachos aprovecharon para tomarse de la mano.

—¿Qué dijo tu mami? —dijo el gigante, con acento colombiano, rascándose nerviosamente la cabeza—. ¿Qué le he parecido lo nuestro?

—No lo sé. Solo repitió que dejará de fumar. Eso fue lo que dijo. Me lo prometió.

—Mentiroso. Ya me contarás.

Y la pareja de muchachos observó pensativa a Marga, que se alejaba hasta encontrar la mesa donde Jotabé, lanzado en el discurso que había ensayado cien veces frente al espejo, no estaba dispuesto a dejarse amedrentar:

—¿Puedo tutearla? Hoy me atrevo a pedírselo porque he bebido bastante...

Jotabé se acercó a ella y, con la brusquedad de los tímidos, le colocó las manos sobre los hombros. A esta distancia se dedicó a estudiarla, como si nunca hubiese visto su cara, como si necesitase reconocerla una y otra vez. Marga, aterrorizada, cerró los ojos. ¿Qué estaría mirando? ¿Sus patas de gallo?

—Preciosos —dijo—. Tienes unos ojos preciosos. —Y acarició sus párpados con un dedo.

No solo estaba viéndolas, las estaba tocando. Basta, Marga, dijo la vocecita interior, no seas así. Le gustas, ¿lo comprendes? Aunque no te lo creas, le gustas. Vamos, te estás portando como una criatura. Ya es suficiente con lo de tu hijo. ¿No puedes relajarte un poco? Mañana, mañana tendrás que decidir muchas cosas, hoy, déjate llevar. Anda, bebe, relájate.

Pero Marga no se atreve siquiera a abrir los ojos, tiene la cara fruncida como una uva pasa, casi le duelen los músculos por la tensión cuando, de entre las sombras, surge una Viviana furiosa, le pide a Jotabé que las disculpe un minuto, que necesita hablar con Marga, enseguida te la devuelvo, le dice mientras la toma del brazo, la arrastra al baño y, sin permitirle, por una vez en la vida, ni una palabra, le grita casi:

—Basta, ¿eres tonta? No estoy dispuesta a escucharte una queja más: todo el día protestando, gimoteando porque te sientes sola, y ahora... Regresa ya mismo con ese hombre y, como no seas capaz de seguir con él toda la noche, como no seas capaz de amanecer con él, no volveré a hablarte en toda mi vida. Y hazme un favor, Marga, hazte un favor a ti misma: por una vez, intenta no abrir la boca.

Cuando ambas salieron del baño, Omara se acercó también a Marga y, tomándola por el otro brazo, la empujó también hasta Jotabé. Y así avanzaron las tres, las dos acólitas a los lados y en el centro Marga, como si fuese una víctima que marcha hacia el sacrificio:

—Aquí te la dejo, mi alma —susurró Omara en el oído de Jotabé—, aquí te la dejo tal como te lo prometí. Espero que sepas hacer tú la parte de los hombres, que eso no lo enseño yo a ningún precio. Y recuerda, Jotabé, hoy por ti, mañana por mí. O por mi amigo, que para el caso es lo mismo, el pobre está hecho un pingajo. Y a ver tú, también, Marga, qué tal te lo haces. No voy a estarme toda la vida en tu casa escuchando cómo te lamentas.

Marga no entendía lo que estaba sucediendo pero, bajo la mirada admonitoria de Viviana, que se alejaba meneando las caderas, se limitó a sentarse junto a Jotabé. Y Jotabé, consciente de la solemnidad del instante, preocupado por la responsabilidad que le caía encima, permaneció también unos segundos serio y en silencio. Entre la música atronadora la pareja se había sumergido dentro de una pompa irisada que los separaba del mundo e irradiaba su propia luz.

Jamaica, por una vez, no estaba controlándolo todo. Muy conmocionada, parecía bailar, tras la barra, una danza en torno a la rubia platino vestida de tigresa; luego de abrazarse se separaron, se volvieron a unir, se estudiaron en detalle, volvieron a abrazarse, así varias veces, hasta que ambas lograron encajar en la cara de la otra el paso del tiempo. Sobre los rostros juveniles que guardaban en la memoria, Jamaica y Domitila consiguieron superponer poco a poco los de hoy, ese aspecto de mujeres maduras en el que estaba escrita su historia. Por suerte la música les impedía hablar, y la emoción del reencuentro se diluyó entre el ritmo de la salsa.

De entre las sombras surgió, algo bebido, Julio. Por fin se atrevía a entrar, había dejado la maleta en el guardarropa y, luego de asomarse a la sala, había retrocedido para ir al bar de enfrente a tomarse unos tragos. Le faltaba combustible, pensó, tenía que darse ánimos con algo para arrancar. Estaba cansado del viaje, llevaba en el cuerpo una cantidad de adrenalina suficiente para volar un edificio y ahora, con la verdad en la mano, le parecía que jugueteaba con una granada a la que le habían quitado la espoleta. Había viajado a Senegal, ida y vuelta, por fin estaba clara la historia, era capaz de servírsela en bandeja a su mujer, completa, con todos sus detalles fantásticos, sería su regalo, lo mejor que le podía ofrecer, había luchado contra sí mismo antes de tomar la decisión de viajar, y allí estaba su ofrenda, el peligroso don de la verdad. Que Gloria hiciese con él lo que le pareciese más conveniente, lo que le viniese en gana, basta de engaños, de disimular, de acciones cruzadas, de extorsiones: ya estaban en Los Bongoseros de Bratislava todos los personajes del drama, los había arrastrado hasta allí y que se apañaran entre ellos. Aunque tal vez era tarde: demasiados engaños flotaban en el aire para consolarse con los que había desvelado, demasiadas mentiras. Y lo que más le preocupaba era qué sucedería con él ahora, con Gloria, con su matrimonio.

Julio entró, pues, en Los Bongoseros de Bratislava y pasó de la oscuridad a la luz, del frío al calor del baile, del silencio de la calle al sonido estrepitoso de la música, medio ciego y confuso empujó a los que le cerraban la entrada, tropezó con un negrazo tremendo que llevaba de la mano, flotando como si fuese la cola de una cometa, a la mismísima Gloria, liviana con su chal de gasa, bellísima, el pelo suelto, luminosa, arrebolada por el calor, con una cara que Julio no le había visto nunca y vio cómo le cambiaba la expresión al chocarse con él, cómo se transformaba su sonrisa en estupor, y Julio, herido como si le hubiesen clavado un arpón, fuera de sí, se lanzó hacia el negro y le tiró un puñetazo a la mandíbula haciendo que trastabillara.

Increíble, pensaron todos, David frente a Goliat, le dio en la mandíbula el blanquito esmirriado ese al negro descomunal, sí, el del bigote, el pijo aquel, volteó al gigante de un solo golpe, y Julio, atónito, frotándose el puño dolorido vio cómo el negro levantaba la vista para responder el ataque y se quedaba de pronto inmóvil, mirándolo desde el suelo, valorando desde su escorzo la situación, sopesándola, acariciándose la mandíbula sin atacar, porque Ulises había comprendido quién era ese hombre que le había pegado, así que se contuvo, para qué estropear más las cosas, pensó, tocaba guardarse el orgullo, retirarse de la escena, y Julio, sin mirar a Gloria, bamboleándose, había entendido también y metió la mano en un bolsillo. Ulises temió por un segundo que sacase un arma, una navaja, una pistola, algo, pero lo que Julio sacó de su bolsillo fue una llave, la vieja llave que Ulises había traído desde Senegal, y se la tiró a la cara. Luego retrocedió como si no supiera qué hacer, y se dirigió sin volver la vista atrás hacia la barra, donde Jamaica, sin hacer caso de la escena, conversaba con la rubia.

La gente, que se había arremolinado para ver la pelea, se disolvió murmurando divertida, todos regresaron a sus mesas, a la música, al menear de caderas y, en pocos minutos, aquí no ha pasado nada.

Entre el público, solo Marga y Jotabé ignoraron lo sucedido, ni siquiera se dieron cuenta de que no sonaba la música y seguían abrazados en el centro de la pista intentando moverse; a su lado, una muchacha negra, alta y hermosa, bailaba también sola, sin importarle qué hacían los demás. En la cabeza de Marga, revueltos como una masa, giraban los más variados pensamientos: estaba ligando, sí, podía decirse, incluso, que ya había ligado. ¿Y ahora? ¿En qué orden tenían que suceder las cosas? ¿Qué tiene que hacer? ¿Tendrá que besarlo? ¿Y si ya no le gusta? Si se van juntos, ¿tendrá que desnudarse? Ah, no, eso sí que no. Vamos, vamos, Marga, ¿cuánto hace que nadie te acaricia?, ¿cuánto que no te acuestas con un hombre? Qué piensa hacer, ¿vendarle los ojos?, ¿atarle las manos? Si pudiese, por lo menos, encender un pitillo..., pero nadie baila abrazando a su pareja y con un pitillo entre los labios, ni siquiera un cowboy. Intentando relajarse, respiró hondo, recordó las amenazas de Viviana, volvió a cerrar los ojos y se dejó llevar.

Julio, que avanzaba sin controlar demasiado sus movimientos, se acercó a la barra y pidió más alcohol, lo que fuese, y Jamaica, sin inmutarse, le sirvió dinamita líquida pensando que tal vez era mejor así, que explotase todo, total. Total las mentiras ya estaban a la vista, expuestas, el puzle estaba completo y solo quedaba alejarse un poco para ver claro el dibujo. Mientras consolaba a Julio, que lloriqueaba en la barra, mientras le secaba la cara con una servilleta de papel como si fuese un niño, Jamaica hizo una pregunta que hacía años tenía atragantada.

—¿Qué harás ahora, Domitila, qué harás con tus embustes?

—Diré la verdad.

—¿Toda la verdad?

Domitila sonrió mientras se sujetaba con coquetería las gardenias, jugó con las pulseras, sacudió risueña la cabeza, suspiró:

—Tú siempre igual, Jamaica, no cambias; siempre serás la misma exagerada... ¿Cómo voy a decirle toda la verdad a la niña?

—¡Todo ha terminado!

—Calla, Julio, déjanos hablar. ¿Y qué versión darás de la historia, dime, qué contarás?

—¡Todo ha terminado, y yo me voy con la primera mujer que cruce por esa puerta!

—Vamos, Julio... ¡Thais! ¿Qué haces aquí?

—Buscar al calamar en su salsa, mamá. Hace semanas que no te veo.

—Justamente esta noche..., esta noche no, Thais, hazme un favor, déjame un poco, luego te cuento, charlaremos en casa...

Disgustada, Thais se lanzó en picado a los primeros brazos que se abrieron, que fueron los de Julio. No había forma de acercarse a su madre, siempre sería igual. Pero, una vez cobijada allí, agradablemente sorprendida, acarició la suave tela de la chaqueta del hombre, percibió el aroma de su colonia, vio las canas de sus sienes. Un madurito, con lo que le gustaban, pensó, hundiendo sus dedos en la cabellera, y con bigotes... No estaba mal. Apoyando la cabeza sobre su hombro, pegando su cuerpo al de Julio le dio la espalda a su madre y se dejó llevar.

A su lado, la bella muchacha alta y negra seguía bailando sola, enfebrecida y loca, dejándose arrastrar por el ritmo de la salsa. Todos los hombres habrían querido acercársele, pero era demasiado hermosa, demasiado alta, y nadie se atrevía. Llevaba unas botas cuajadas de pedrería, con plataformas, como las de una *drag-queen*, y no parecía necesitar a nadie para pasárselo bien. Al verla pasar, Omara murmuró a su acompañante:

—Es Tivi, la de la novela.

—Bah, cosas de mujeres. Yo no veo novelas.

—Pues tú te lo pierdes, mi amor; se llora que da gusto, relaja un montón.

Mientras decía esto, Omara vio a Ulises, que, acariciándose aún la mandíbula, abrazaba a Gloria, la besaba largamente sin importarle la mirada de los demás, parecían estar solos en el mundo, luego se despegaba de ella con un gesto de dolor, como si le arrancaran un brazo, la alejaba de sí para mirarla, para grabar en su retina ese rostro que no volvería a ver nunca, y la tomaba de la mano, conteniendo ambos las lágrimas, por fin retrocedían hasta que las manos se tensaban al desasirse, se quebraban los eslabones de una larga cadena invisible, y Gloria le daba la espalda para no verlo partir, el rostro escondido entre las manos, mientras Ulises se dirigía a la salida sin volver la vista atrás, muy despacio, consternado, hasta borrarse en las sombras.

¡Ulises! ¡Ulises!, gimió Gloria. ¡Ulises!, quiso gritar, pero la garganta, endurecida por la pena, se negó a emitir sonido alguno. Luego permaneció un largo rato de espaldas y por fin se volvió, mirando el hueco por el que había desaparecido su amante, pareció dudar, sentir la tentación de seguirlo, de correr tras él, pero por fin se dejó caer en una silla y permaneció quieta allí, hierática casi, blanca, como si le hubieran arrancado el corazón.

Sin verla, sin interesarse por lo que sucede con su mujer, Julio, abrazado a Thais, siente que algo se afloja en su interior, es ese tierno refugio bien proporcionado el que le hace recordar algo de lo que carece desde hace meses; Gloria lo ha dejado sin fuerzas, el viaje ha sido la gota que desbordó el vaso; además, el encuentro con el negro ha puesto cara al engaño y eso cualquiera lo lleva mal. Al fin y al cabo, él también es humano, tiene su orgullo, no quiere privarse de ese cuerpo joven que se le entrega al compás de la música, que se pega contra él con una ternura indefensa y tibia. Le gusta la muchacha, claro que le gusta, la oye respirar en su oído, percibe la caricia de su aliento y, abandonándose, apoya su mejilla contra la fresca melena; total, lo que ha sido válido para Gloria, será válido para los dos.

A su lado, Marga y Jotabé se han detenido y no bailan. Tomados de la mano, ella parece retroceder, él le pasa el brazo alrededor de la cintura, la acerca hacia sí, le dice en voz baja las frases ensayadas ante el espejo:

—Vamos, ¿de qué intentas defenderte?, ¿de ti misma?, ¿de mí? De todas formas, nada podrá detenerme, tendrás que escucharme, me voy a arriesgar.

Y Marga recordó cómo era el amor, esa embestida de planetas, esa lluvia de estrellas. De pronto, mirando muy fijamente a Jotabé, sin poder impedirlo, exclamó:

—Tengo miedo.

—¿Tienes miedo? ¡Qué buena noticia! Pensé que era la única persona asustada que quedaba en el mundo.

Marga dejó de hablar porque Jotabé ya la estaba besando, su mano torpe le acariciaba el cuello, era tarde para negarse, además le apetecía muchísimo, pronto no sería capaz de prohibirle nada, y se entregaría a un amor sin límites ni programas, un amor maduro, sin hipotecas, sin niños que criar, irresponsable como el de dos adolescentes, delicioso y libre: un amor de primavera en otoño.

Más tarde, horas después, en casa de Jotabé, Marga aún se negaría cuando él quisiese quitarle la ropa, lo rechazaría diciéndole en voz baja, casi vencido el último temor:

—¿Te parece bien desnudar a una mujer asustada?

Y Jotabé, los ojos húmedos, la ternura incipiente, esa mezcla de pavor y deseo que sienten los hombres al enfrentar la prueba del sexo, le respondería:

—Y a ti, Marga, ¿te parece bien asustar a un hombre desnudo?

Pero esto sucedería después, más tarde, casi al amanecer. Ahora Viviana estaba sentada a la mesa de Omara y súbitamente las dos los vieron detenerse, dejar de bailar, estudiarse como si nunca se hubieran visto y entonces, conmovidas, brindaron por el amor mientras, desde la barra, Jamaica parecía brindar también.

Uno, dos, tres, hombro, uno, dos, tres, cadera, la rubia platino empezó a avanzar. Al principio pareció que dudaba, poco a poco sorteó las parejas que se arremolinaban en la pista y fue acercándose hasta donde estaba Gloria. Se detuvo un momento, la observó cuidadosamente, pero Gloria, inmersa en sus sentimientos, ignoró a la mujer. Incómoda, Domitila retrocedió, permitió que el negrazo que había llegado con ella la sacase a bailar, dejó que la protegiesen sus brazos por un momento y se acurrucó entre ellos, dejó que él le cantase al oído, los labios gruesos muy cerca de su blanca mejilla, el calor de la suave respiración, y una vez más, como tantas veces a lo largo de sus azarosas vidas, escuchó la canción, y recordó cómo habían huido del riesgo, de ser descubiertos, de la policía: de Cuba, de Venezuela, de Buenos Aires, de Río, hasta llegar a Senegal, lo dejó que le cantase una vez más, como le cantaba cuando se abrazaban y eran jóvenes, y tenían miedo, y debían huir. Así, día tras día, mes tras mes, año tras año, hasta que comenzaron a envejecer sin darse cuenta, jóvenes aún en sus sentimientos, absortos en su amor, manteniendo aún entre las piernas ese temblor de la primera juventud, cuando su marido no estaba y ella esperaba a su amante a la hora de la siesta en La Habana y él llegaba con su Panamá y su traje de hilo tarareando «dos gardenias para ti con ellas quiero decir, te quiero, te adoro, mi vida». Yo también te quiero, mi vida, susurró Domitila a su oído, poniéndose de puntillas, sabes que he hecho cualquier cosa por estar contigo, cualquier barbaridad, ahora vete con los muchachos, déjame sola, esto tengo que resolverlo yo, es cosa de mujeres.

Y meneándose, entre el tintineo de sus pulseras, como un nadador que, antes de arrojarse a las aguas profundas, se distancia de la orilla para tomar fuerzas, la rubia platino regresó a la barra, a la protección de Jamaica. Pero Jamaica, despiadada, le preguntó:

—¿Y?, ¿ya has hablado con ella, Domitila?, ¿le has dicho la verdad o siempre vas a estar refugiándote en los brazos de un hombre?

—Ni me he atrevido a acercarme a ella. Tú la conoces, y tal vez podrías...

—Ah, no, no me pidas que hable yo. No seré yo quien le diga que eres su madre.

—No te pido nada, eso es asunto mío. Para eso he venido hasta aquí. Qué te crees. Nunca he sido una cobarde.

—¿Cobarde tú?, ¿quién dice eso? Más bien todo lo contrario...

—Pero, Jamaica, ¿para qué voy a volver sobre aguas pasadas? —Bebió unos traguitos de martini, sonrió con picardía, y la miró—: Gloria ha vivido en la mentira más completa. Ahora le alcanza con media verdad.

—¿Y cómo es eso?

—Ella no sabe nada, y no es cuestión de que yo me aparezca ahora y, además de resucitarme de pronto, vaya y le cuente que ese mulato que me acompaña es su padre y que los gemelos son sus hermanos. Ya no tendrá más hijos, no tiene edad. Con ese niño blanco se cubren las apariencias.

Jamaica bebió otro trago, masticó lentamente una patata frita, y resumió con crudeza:

—O sea que no le dirás quién es su padre ni tampoco sus hermanos, ni qué pasó con tu marido español y seguirás permitiendo que crea que es hija de él. Evidentemente, tampoco le dirás por qué huiste, por qué te buscaba la policía, ni confesarás nada de lo que pasó durante todos estos años. Seguro que ni siquiera piensas decirle que tiene sangre negra. Pues mira, Domitila, eso no es media verdad: no llega ni a un cuarto. —Luego la estudió con atención y, con un dedo, le levantó el rostro y la miró firmemente a los ojos—: Además, eso no es todo. Dime, Domitila, por una vez en la vida, dime toda la verdad. ¿Vas a explicarle por qué la abandonaste? Y perdona que te lo repita, porque han pasado tantos años, que a veces me parece que son imaginaciones mías. ¿Vas a contarle, al fin, que envenenaste poco a poco a tu marido para que no supiera que estabas embarazada de ese mulato?

—Ay, tú, chica, cómo eres, Jamaica, siempre la misma exagerada. Una cosa es decir la verdad, y otra irse de la lengua... Han pasado muchos años, nadie sospecha ya... Ni la policía nos busca.

—Preparabas bien la salsa.

—Sí, m'hijita, lo que tú dices es verdad, la salsa lo tapa todo.

Y mientras decía estas palabras, como ausente, Domitila recordó las pausas de su esposo, ese hombre al que Gloria consideraba su padre, la fruición con la que se llevaba el tenedor a la boca, el lento masticar catando el arroz, la explosión de las especias mezclándose en el paladar, la persistencia del curry que, sobrevolando otros aromas, confundía las papilas, las engañaba, el temible momento de silencio antes de dar su veredicto, la aprobación. Y, en un susurro, respondió:

—Era un gourmet el cabrito, un verdadero gourmet. Mira que me dio trabajo. Siempre sospechó algo, siempre me tenía en vilo. Y dale con lo mismo: «Rica la salsa, pero no perfecta». Y di que la cosa salió bien; al final pude escaparme y ahora, casi cuarenta años más tarde, ¿a quién le importa que me haya quitado un hombre de encima? Yo no podía dejar a mi mulato, ay, no, eso sí que no, eso sí que hubiera estado mal, llevando, como llevaba, una hija suya en mis entrañas. Mira pues, tú, Jamaica, ¿y si Gloria hubiese nacido negra? Seguro que el cabrón va y me mata. Al fin y al cabo, no hice más que adelantarme un poco. Te lo juro, Jamaica, fue en defensa propia.

—La niña ya había nacido y era blanca, Domitila, no me cuentes vainas, no te era imprescindible matarlo, y te tomaste tu tiempo, cuatro años tardaste, hasta que no solucionaste lo del dinero no dejaste de prepararle tus salsas. Lo que pasa es que a ti te gusta la buena vida.

Domitila sonrió con una sonrisa golosa, de gata, se ahuecó la cabellera, hizo tintinear las pulseras, metió el dedo en el martini, lo revolvió, se lo chupó luego y continuó, bajando la voz:

—¿Y a quién no le gusta la buena vida, Jamaica, a quién no? —Luego, con sus aires de princesa, casi en un susurro, completó—: Además, qué coño iba a hacer yo sola, en ese pueblo de mierda, cagadita de frío, mirando las vacas de día y las estrellas de noche, y nada más, qué iba a hacer, chica, sin mi negro, sino morirme de pena... —Con un gesto de enfado, Domitila se abanicó con el bolso, miró hacia los lados, y pareció aburrida de la conversación—: Y mira tú, pues, Jamaica, mira, deja ya de interrogarme. Todos tenemos historias oscuras, no me seas. Tú también.

Así dijo Domitila, mientras tomaba una copa tras otra y entonces, haciendo acopio del valor y la estabilidad que le quedaban, volvió a avanzar hacia su hija.

—Todos tenemos historias oscuras —susurró Jamaica recordando a Max—. Unos más que otros, Domitila, unos más que otros.

Mientras tanto, Julio seguía bailando colgado de Thais, y ella parecía haberse dormido sobre su hombro. Desprotegidos y solos, se mecían como dos náufragos, sin preocuparse en seguir el compás, arrullándose, tropezando con las parejas que evolucionaban haciendo restallar la energía de sus pasos, la sensualidad de sus ritmos. Las muchachas de piernas largas giraban permitiendo que las faldas flotaran como corolas, los hombres las recibían entre sus brazos con la ilusión de que al final de la danza solo estarían ellos.

Aletargando su dolor con el cloroformo del ritmo, Gloria permanecía sentada, sola, y miraba a las parejas que se dejaban llevar por la música. Encendió un pitillo, estiró las piernas, se relajó un poco, luego pensó que ya era tarde y tenía que regresar a casa. Entonces descubrió a su marido asido a Thais como a un mástil.

Pegó un respingo, quiso decir algo, pero se contuvo. ¿Qué derecho tenía a enfadarse? ¿No lo había engañado una y otra vez? Pero ¿y qué haría si él la abandonaba? Intentó imaginar la vida sin Julio y el mundo le pareció amplio, difuso, triste. Al fin y al cabo, siempre lo había querido, incluso cuando él toleraba sus deslices, dándoles el justo nivel que tenían. Entonces Gloria recordó cuando pensaba que en la pareja de ambos ella era quien engañaba y Julio el engañado, ella la displicente y él quien la perseguía como un perrillo, él quien temía perderla, ella quien estaba cansada de él. Le vinieron a la mente los buenos momentos, la ternura por las noches, las tardes en las que permanecían en casa casi sin hablar, cada uno arrellanado en su butaca, leyendo. Recordó los paseos, los desayunos en la cocina, el día en que lo conoció, y de pronto los ojos se le llenaron de lágrimas. Pero no estaba dispuesta a sufrir más, sacudió la cabellera intentando alejar los recuerdos, era demasiado para una sola noche, quiso no pensar, sumirse en un Leteo musical dejando que el corazón palpitara con el son del bongó, quiso estar ya en el día de mañana, conocer su futuro, arrancarse de la piel este dolor, volver a ser la que era, alejar de sí el temible peso de la pasión.

Un mulato que se contoneaba solo en la pista la taladró con la mirada y Gloria, instintivamente, se levantó para bailar. Girando entre sus brazos pensó que, en cuanto a ella y a Julio, solo cabía soportar que el peso de los platillos se alterara, que se invirtiesen los términos sin abrir la boca, y bailando se sintió más libre, como si la tristeza se estuviese disolviendo entre la música, giró y giró hasta marearse y, al regresar sola a su mesa, se dijo: Al fin y al cabo, todos tenemos historias oscuras.

Entonces decidió no ver lo que estaba viendo, no preocuparse por Julio ni por la muchacha a la que se abrazaba, pidió una copa, otra más, y ya estaba bastante borracha cuando, sorprendida, tuvo la impresión de que la mujer de pelo platino que parecía errar por la sala avanzaba hacia ella en línea recta.

Avanzaba, sí, y no se detuvo aunque chocó con varias parejas, no se detuvo ante Omara, que pareció preguntarle algo, no se detuvo aunque los mellizos se acercaron a ella, la besaron, y parecieron querer cortarle el paso. Sorteando todos los obstáculos, avanzó con la seguridad de un transatlántico y se sentó a su vera, tomó la mano que Gloria había apoyado sobre el regazo y comenzó a hablar, habló y gesticuló, retuvo a Gloria, que quiso escaparse, la rodeó firmemente con su brazo, la obligó a sentarse, a escucharla. Insistió, lentamente desanudó la sorpresa, el estupor, la mujer habló y habló, luego Gloria dijo algo, pareció que protestaba, que se iba a marchar, por fin ambas se fueron tranquilizando y Jamaica, desde su puesto de vigía, comprendió que las dos comenzaban a llorar, que la tensión cedía como la lluvia que cae después de un día de bochorno, las vio ponerse de pie, mirarse fijamente a los ojos, permanecer en silencio, acercarse más y más, tender tímidamente los brazos hasta abrazarse llorando, sollozando, la riada de lágrimas llegó hasta Jamaica que oyó solamente una frase, dicha ya en tono muy alto, una frase contenida durante años, escondida a causa del peligro que entrañaba, disimulada bajo el cinismo de la experiencia, y Domitila gritó abriendo mucho los brazos, exclamó por fin: «¡Hija mía!», y Gloria insegura susurró: «¿Mamá?», luego más alto, con la voz, estremecida, gritó: «¡Mamá!», y abrió también los brazos, y se zambulleron la una en la otra y, mientras las cabelleras rubias se entremezclaban, Jamaica, que seguía la escena segundo a segundo haciéndose la dura, se secó también una lágrima con una servilleta de papel y meneó la cabeza para disimular la emoción.

Del magma bamboleante de la sala surgió Marga, que se alejaba de la mano de Jotabé, y que solo había llegado a oír los gritos finales: «¡Hija mía!» y luego «¡Mamá!», y pensó, mirando a las mujeres abrazadas: qué bonita historia, qué tierna, el amor es la salsa de la vida, sobre esto tengo que escribir, el reencuentro de una madre con su hija, esto sí que podría conmover a las lectoras, seguro que detrás de esta escena hay una vida sacrificada, una mujer sufriente, algo así, años de privaciones, anécdotas de solidaridad, desgarro, qué sé yo, pero Jamaica la empujó y le dijo: «Anda, Marga, vete, vete, vete de una buena vez, no entiendes, no te enteras de nada», y sonándose insistió: «Quítate de en medio que no me dejas ver», y luego le tomó la mano a Viviana, que miraba asombrada la escena:

—Qué vaina, Viviana. Qué vaina. Cómo me emociona verlas, no puedo dejar de llorar, pásame un clínex, mira cómo estoy, el rímel corrido, hecha una birria, ay, Viviana, míralas, tanto tiempo guardándoles el secreto y termina así, en mi propio bar, en Los Bongoseros de Bratislava, quién lo hubiera dicho, qué emoción. Habrá sido así porque todo empezó en Cuba, y ese ritmo, ese calor, la gente se vuelve loca, y luego en Venezuela, la vida es un culebrón, qué se puede esperar de una historia que se desarrolló en América, Viviana, ya te digo, la vida es un auténtico culebrón, mira cómo se abrazan, cómo se miran, han estado separadas durante años, han pasado tantas cosas, tantos amores, tantas confusiones, tantos peligros... Ni en la tele se ven historias como esta, qué bonito, un auténtico culebrón...

Y Viviana, sin poder impedirlo, como si una sílaba empujara a la otra, regurgitando, rebuscando en ese buche de pelícano que es el idioma, pescó una palabra, eligió otra, dibujó un paréntesis, exclamó por fin:

—¿Qué dices, Jamaica? ¿Un culebrón? Un culebrón, no, la vida no es un culebrón, aunque podría serlo. —Y luego, más tranquila, rodeó la escena con las palabras que eran suyas y tradujo a su idioma—: La vida no es un culebrón, Jamaica; la vida, como dicen en mi tierra, es una telenovela.

AGRADECIMIENTOS

Agradezco a Magda Reyes, Ibrahim Cisse, Sotero Jiménez, Pilar Nieva, Martín Kohan, Gaspar Marqués, Carmen Posadas, Raúl Mandrini, Julio Gómez Carrillo, Leticia Rossón, Teté de Rossón Vélez, Paloma Gómez Crespo, Raquel Sáez, Luis Velasco, Alejandro Margulis y Claudia García su colaboración, voluntaria o involuntaria, en esta novela. Sin ellos, la historia hubiera sido otra.

A Armando Minguzzi, Adriana Imperatore y Carmen Valcárcel, por su lectura crítica y estimulante a través de los años.

A Jesús y Bruna Casals, y a mis hijas, que me hacen pensar que cualquier tiempo futuro será mejor. A Bruno.

Esta edición de la novela *SALSA*
de CLARA OBLIGADO,
escrita en 2002 y actualizada en 2018,
se acabó de imprimir
en los talleres de Romanyà-Valls
en el mes de abril de 2018.